D0277166

HEB JIJ HET AL GEDAAN?

CAJA CAZEMIER

Heb jij het
al gedaan?

Uitgeverij Ploegsma Amsterdam

Kijk ook op:
www.cajacazemier.nl
www.ploegsma.nl

ISBN 90 216 1519 3 / NUR 284

© Tekst: Caja Cazemier 2005
Tosca's vader citeert een paar regels uit 'Pan' van Herman Gorter (1912) en uit
het gedicht 'Koorddansen' van Hagar Peeters uit de bundel *Genoeg gedicht over
de liefde vandaag* (1999).
Omslagontwerp: Studio Jan de Boer
© Deze uitgave: Uitgeverij Ploegsma bv, Amsterdam 2005

DEEL 1

Hallo iedereen,

Ik wil jullie iets vragen. Maar eerst een verhaal of drie…

Er was eens een meisje, Tosca. Ze woont in Z, maar ze ging naar haar vader in X. Ze is gek op muziek en hoopte dat ze een kaartje kon krijgen voor het concert van Brainwave.
Er was eens een zanger, Rick. Hij deed mee aan *Idols* en bracht het tot de finale. Daarna ging hij verder met de band Brainwave. Ze gaven die avond een concert in X.
Er was eens een jongen, Mees. Zoals elke veertien dagen was hij het weekend bij zijn vader, die in de muziekbuurt van X woont. Hij kocht de allerlaatste kaartjes.
Deze drie verhalen ontmoetten elkaar zaterdagavond 25 april in The Swing.

De band is allang weer verder getrokken met zijn tournee. Het meisje komt nog altijd om de week naar X. En Mees?

Ik ben het meisje en ik zoek Mees. Hij is zeventien jaar, lang en dun, heeft kort bruin haar en bruine ogen in een lachend gezicht. Hij houdt van muziek, lezen en Pringles. Wie kent hem? Waar woont hij? Wie kan mij helpen aan zijn adres of telefoonnummer? Ik zou hem graag nog eens ontmoeten…

Tosca
06-11119988
flying_star444@hotmail.com

HET VERHAAL VAN TOSCA

I

Het briefje viel met een droge tik op Tosca's tafel. Ze dacht tenminste dat ze het hoorde vallen, want er was veel geroezemoes in de klas. Het was tot een prop opgevouwen en kwam van links door de lucht gevlogen. Tosca had niet gezien wie er gegooid had. Was het van Mijke, naast haar? Maar haar beste vriendin had het kennelijk ook zien vliegen, want ze boog zich naar Tosca: 'Wat was dat?'

Nieuwsgierig vouwde Tosca de prop open. Ze las de woorden die in glimmend paarse blokletters opgeschreven waren: HEB JIJ HET AL GEDAAN?

Tosca keek opzij. Mijke grijnsde.

'Wat gedaan?' vroeg Tosca.

Op hetzelfde moment wist ze dat ze een domme vraag had gesteld. Een heel domme vraag, zo maakte ze op uit het geproest waarin Mijke uitbarstte.

Nou ja, het kwam ook zó uit de lucht vallen. Ook al was het vrijdagmiddag het laatste lesuur en was de les van een onovertroffen saaiheid, toevallig had ze dus net wel naar de uitleg van Weijers zitten luisteren. Volgende week proefwerk Nederlands, namelijk.

Verontwaardigd gaf Tosca haar buurvrouw een stoot met haar elleboog.

'Mijke, Tosca!' klonk de waarschuwing van Weijers al. 'Ik weet dat het vrijdagmiddag is, maar houd alsjeblieft nog even vol. Straks weet je niet hoe je die verhalen aan moet pakken.'

'Ik wou dat ik wist hoe ik dít aan kon pakken,' fluisterde Mijke terwijl ze haar hand uitstak en het briefje pakte.

'Wat? Het propje?' Tosca wilde het terugpakken van Mijke. Het was naar haar gegooid, dus was het haar eigendom. Ze wilde weten wie het geschreven had en of de afzender zelf de vraag positief kon beantwoorden. Vast een meisje, gezien de kleur van de pen.

Het werd een klein gevecht om het papiertje. Ze klauwden met hun handen in en om elkaar en kregen de slappe lach. Het propje vloog op.

'Oké, meiden, genoeg! Geef maar hier.' Weijers stond naast hen en hield zijn uitgestoken hand op. 'Zo kan ik niet werken. Jullie hebben zelf gevraagd om extra uitleg van een paar dingen. Ik wil dat jullie je aandacht bij de les houden en niet bij elkaar. Daar heb je straks een heel weekend voor.'

Tosca hoorde hoe Mijke een lach onderdrukte, terwijl ze het briefje in de mannenhand legde. Gespannen keek Tosca toe: zou Weijers het lezen? Ze voelde hoe de lach van Mijke op uitbarsten stond, daarom legde ze snel haar hand op haar eigen mond, om niet zelf te beginnen. Ondertussen bleef haar blik strak op Weijers gericht, die zijn hand tot een vuist balde, zich omdraaide en terug naar het bord liep terwijl hij zijn hand in de jaszak van zijn colbert stak.

Er werd in haar rug geprikt. 'Wat staat erop?' fluisterde Esther achter haar. 'Wij hebben dat briefje nog niet gehad.'

Tosca schudde haar hoofd. Ze wilde niks missen van de bewegingen van Weijers, die zijn hand nu uit zijn jaszak haalde. Leeg? Waarschijnlijk wel. Hij was bij het bord aangekomen, pakte een krijtje en ging verder de mogelijke vertellers van een verhaal op een rijtje te zetten: ik-verteller, personale verteller, alwetende verteller. Man, wie interesseert zich daar nu voor?! Vertelde hij maar eens over het echte leven. Over zíjn eerste keer bijvoorbeeld.

Maar nee, niks. Geen opmerking over het briefje, hij nam niet eens de moeite om het te lezen!

Alleen maar die saaie, saaie les.

Nu werd er tegen haar schouderbladen gebonkt. Esther weer. 'Wat stond er nou op?'

Tosca draaide zich om. 'Heb jij het al gedaan?'

Esther keek haar met grote ogen aan. 'Is dat een serieuze vraag?'

'Dat stond erop,' zei Tosca. 'Weet jij waar het briefje vandaan kwam?'

Esthers buurvrouw Nanet boog zich voorover. 'Het kwam van de rij bij het raam van achteren naar voren en Taco gooide het naar Mijke en jou.'

Inwendig kreunde Tosca. Ze wilde niet, maar deed het toch: opzij kijken naar de jongen die het briefje naar hen had gegooid. Het was algemeen bekend dat hij verliefd op haar was. Taco glimlachte naar haar en wees toen met zijn hand in de richting van het bord, waar Weijers Tosca stond op te nemen.

'Ja? Zijn we er weer bij?' vroeg hij. 'Dan tot slot…'

Tosca bekeek de leraar zonder naar hem te luisteren. Hij zag er best vlot uit: spijkerbroek, zwart colbert met een zwart T-shirt eronder. Hoe oud zou hij zijn? Dertig? Iets ouder? Zijn donkere haar was leuk geknipt. Hij had felle, donkere ogen en een kin die altijd ongeschoren leek. Hij was een van hun leukste leraren. Normaal gesproken had hij beslist gevoel voor humor, alleen op vrijdagmiddag was dat op.

Was hij getrouwd? Had hij een vriendin? Of een vriend, dat kon natuurlijk ook. Of woonde hij alleen? Hoe vaak zou hij het doen?

Weijers was uitgepraat. Hij zette de opdracht op het bord en ze moesten aan het werk. Lees! Beantwoord de vragen! Geef je mening! En vergeet vooral de argumenten niet! Een verhaal op papier. Ze moesten een verzonnen wereld analyseren.

Wat heb je nou aan al die verhalen, dacht Tosca. Ik ben meer geïnteresseerd in de werkelijkheid. Vanuit haar ooghoek zag ze dat Weijers zijn jasje uitdeed en over de rug van zijn bureaustoel hing. Hij rommelde wat in zijn tas en verschoof stapels papieren op het bureau. Af en toe keek hij de klas in.

Ze zaten ook veel te ver vooraan! Ze hadden alleen maar de ruggen van Ruud en Wybren voor zich, twee van die ukkies die nog steeds aan hun groeispurt moesten beginnen. Ongelooflijk dat er in de vierde nog van die schriele jochies zaten. Ze waren heel lief, hoor, maar werden altijd overgeslagen als de klas praatte over verliefdheid of seks.

Wacht! Kijk! Nu ging Weijers toch nog met zijn hand in zijn jaszak. Tosca stootte Mijke aan, die al aan het lezen was. Wat zou hij nu doen? Ademloos keken ze toe.

Ja, hij haalde het briefje te voorschijn! Hij ging zitten en vouwde het open. Hij las!

Een glimlach verscheen op zijn gezicht. Hij vouwde het briefje zorgvuldig dubbel en deed het terug in de zak van zijn colbert. Daarna keek hij op, over de hoofden van Ruud en Wybren heen, en knipoogde naar Tosca.

Geweldig! Tosca grinnikte. Zou hij nu aan 'het' denken? Vast! Jammer dat ze geen gedachten kon lezen. Toen boog ze zich toch maar over de tekst en begon aan de opdrachten. Maar de onrust bleef. Dat voelde ze ook aan de anderen, want normaal gesproken was het stiller in de klas. Er was meer aan de hand dan de vrijdagse tegenzin.

Wat zei Nanet? Het kwam van de rij bij het raam. Dus meer mensen wisten wat er op het briefje stond.

Het was algemeen bekend dat Alexa het al wel had gedaan. En Caro ook. Die zaten naast elkaar in die rij. Had een van hen het geschreven? Ze hadden allebei een vaste vriend, en hadden er een zeker aanzien mee verworven, want het was een hot item in hun klas.

Tosca keek over haar schouder. Een mooie meid, die Alexa, met haar licht getinte huid en aparte, kleurige kleren. Zou het daarom zijn dat Alexa al wel... Tosca wist het niet. Maar Caro was niet echt mooi. Die was groot en stevig. Dus daaraan kon het toch niet liggen.

Tosca zuchtte.

'Ik vind hier geen bal aan,' zei Mijke zacht en boog zich naar Tosca toe. 'Wie van onze klas zouden het nog meer gedaan hebben? Dat zou ik best willen weten.'

Het werd steeds rumoeriger. Nu werd er ook heen en weer gelopen in de klas door leerlingen die wat wilden vragen aan Weijers. En daarna door Weijers zelf, die vragen beantwoordde. Er werd onderling over de antwoorden gediscussieerd. Of over andere dingen natuurlijk…

Tien minuten voor het einde van de les zei Weijers: 'Huiswerk voor maandag: deze tekst afmaken. Mensen die nog iets willen vragen over het proefwerk van volgende week, kunnen nog even blijven zitten. De rest mag weg.'

Onmiddellijk brak er een enorm kabaal uit. Iedereen riep door elkaar en pakte met veel herrie zijn tas in. Niemand bleef achter. Weijers stond bij de nog dichte deur en gebaarde dat ze op de gang zachtjes moesten doen, want er werd hiernaast nog lesgegeven.

'Prettig weekend,' wenste hij Tosca en Mijke toe. 'Er is niks mis mee als je wilt toegeven aan je hormonen, als je het maar veilig doet!'

2

Dubbel van het lachen liepen Tosca en Mijke over de gang.

'Wát zei-die?' vroeg Esther.

'Toegeven aan je hormonen?' vroeg Nanet. 'Is dat een synoniem voor neuken?'

'Hou op,' gierde Tosca, 'ik doe het in mijn broek!'

'Kom!' zei Mijke. 'We gaan nog even kletsen.'

Met zijn vieren liepen ze de school uit en nog nahikkend van het lachen lieten ze eerst hun rugzakken en daarna zichzelf op het gras vallen. Achter de school waren de sportvelden, en hier was een strook gras die bij het plein hoorde. Ze zaten er graag als het lekker weer was.

'Pff, warm,' zei Tosca en deed haar jas uit. Ze draaide haar hoofd naar de zon. Heerlijk! Ze genoot er ieder voorjaar weer van als de temperatuur steeg. Ze hield van lekker warm. Vandaag was het nóg duidelijker dat de lente in de lucht zat. Tosca ademde diep in. Zon, groene blaadjes en zachte, warme lucht, vermengd met een vleugje verlangen.

Hoor haar! Ze werd er dichterlijk van! Dat moest ze maar niet hardop zeggen. Ze zouden haar vierkant uitlachen.

Tosca keek naar haar vriendinnen – Mijke, Nanet en Esther. Allemaal hadden ze hun jassen uitgetrokken en Esther had zelfs haar trui uitgedaan. Gekke Esther, die zo bang was te dik te zijn terwijl ze zo mooi slank was; lieve Mijke, die van gezelligheid hield en altijd klaarstond voor iedereen; en stoere Nanet, die zo gek was met beesten dat ze al haar vrije tijd in het dierenasiel doorbracht. Een tweede warmtegolf trok door Tosca, gewoon omdat ze haar vriendinnen geweldig vond en blij was bij deze meiden te horen.

'Maar een leraar zegt dat natuurlijk niet: neuken,' zei Nanet.

'Nee,' zei Mijke, 'maar hij had toch gewoon kunnen zeggen: als jullie het van plan zijn, doen jullie het dan wel veilig?!'

Esther zei: 'Mijn moeder wil er af en toe met mij over praten en dan heeft ze het over penis-vaginaseks!'

Die was goed voor een nieuwe lachaanval. Toen ze uit gelachen waren, vroeg Esther: 'Hebben jullie seksuele voorlichting gehad?'

'Mijn moeder heeft me er een boek over gegeven,' zei Tosca.

Mijke schudde haar hoofd. 'Ik wil er niet over praten. Niet met mijn moeder in elk geval. Ik kap alles af met "ja mam, dat weet ik allang". Ik wéét het ook wel.'

'Mijn zus,' begon Nanet, 'die is pas een goeie bron van informatie. Die weet alles.'

'Leen je haar ook uit?' vroeg Esther. 'Dan hebben wij er nog wat aan.'

Nanet lachte. 'Zeg maar wat je wilt weten.'

'Doet het pijn?'

'Mijn zus zegt van niet. Als je opgewonden bent, word je vanzelf nat, dan glijdt-ie er zo in.'

'En als hij nou heel groot is?' vroeg Tosca. 'Of jij te nauw?'

'Het past altijd!' zei Nanet. 'Je bent één en al spier van onderen, dus hartstikke elastisch.'

'We weten nu van Weijers dat je het niet zonder moet doen,' grinnikte Esther.

Tosca keek haar aan. Was dat een grapje of meende ze het serieus? 'Alsof we dat niet allang wisten.'

'Maar je kunt van de eerste keer toch niet zwanger worden?' reageerde Esther gepikeerd.

Nanet knikte heftig van wel. 'Die zaadjes weten heus niet hoe vaak jij het al gedaan hebt, hoor! Ze zwemmen als een gek naar binnen, of je het nu voor de eerste of voor de honderdduizendste keer doet.'

De meiden brulden het uit. 'Honderdduizend! Dan ben je vast al bejaard!'

'Goh,' zei Tosca dromerig. 'Het lijkt me geweldig.' Ze dacht weer aan Alexa en Caro. En aan het briefje. Ze veerde overeind en ging op haar knieën zitten. 'Van wie kwam dat briefje nou eigenlijk?' vroeg ze.

De andere meiden haalden hun schouders op.

'Ik weet het niet,' antwoordde Esther.

'Ik zag wel dat het briefje eraan kwam, maar niet waar het begon,' zei Nanet.

Tosca plukte aan de grassprieten onder haar knieën. 'Wanneer ben je er eigenlijk aan toe, aan de eerste keer?'

'Nou,' zei Nanet, 'het lijkt mij dat je in ieder geval een vriend moet hebben.'

Ze keken elkaar aan. Van hen vieren had alleen Nanet verkering.

Mijke grinnikte. 'Je hebt een *jongen* nodig,' corrigeerde

ze Nanet. 'Je hoeft toch niet per se verkering te hebben om met iemand naar bed te kunnen gaan?'

'Ik vind van wel, hoor,' zei Esther fel. 'Je gaat toch met een jongen naar bed omdat je van hem houdt?!'

'Of omdat je seks wilt,' zei Mijke.

Tosca stak haar onderkaak naar voren en klikte met haar ondertanden tegen haar boventanden. Zo dacht ze na. Ze was het met Esther eens – geloofde ze.

Toen kreeg ze een idee. 'Zullen we een lijstje maken? Een checklist? Ben ik aan de eerste keer toe?'

'Ja!'

'Goed idee!'

Tosca haalde haar agenda en een pen te voorschijn en zocht een blanco pagina op. BEN IK AAN DE EERSTE KEER TOE? schreef ze in keurige blokletters. Toen keek ze haar vriendinnen aan. 'Punt één: heb je een leuke jongen/vriend?'

'En die moet ook willen, anders schiet je er nog niks mee op!' vulde Mijke aan.

'Logisch,' vond Tosca, maar ze noteerde het toch.

'Punt drie,' zei Nanet, 'heb je condooms? Nu jij weer, Mijke.'

Mijke dacht na. 'Heb je ervaring? Dat is punt vier. Als je nog nooit gezoend hebt, of niks anders hebt gedaan op dat gebied, dan ben je natuurlijk nog niet zover.'

'Goeie, Mijke,' vond Tosca. 'Je moet al wel een béétje seks hebben gehad.' Ze schreef het op.

'Ja, maar wat ook telt,' zei Nanet, 'en dat is een apart punt: ben je vertrouwd met je eigen lijf? Je moet je wel blootgeven, hoor! Dat moet je durven.'

Ze keken elkaar aan en begonnen weer te lachen.

Nanet rolde met haar ogen en ging scheel kijken. 'Lachen jullie maar,' zei ze zogenaamd gepikeerd. 'Ik denk toch dat dat belangrijk is.'

Tosca richtte zich tot Esther. 'En jij, Es? Weet jij nog iets?'

Het duurde even voor er antwoord kwam. 'Wil je het ook echt?' zei ze toen. 'Ik bedoel: als je bang bent of ertegen opziet, dan lijkt het me niet goed.'

Het bleef even stil.

'Dat is waar,' zei Mijke toen. 'Maak daar inderdaad maar een punt van, Tosca. En wat vinden jullie: moet je erover praten van tevoren? Spreek je dat af, hoever je gaat?'

'Gebeurt het niet gewoon?' vroeg Tosca zich af.

'Maar toch nooit in één keer?' dacht Esther. 'Je groeit er toch naartoe? Steeds een stapje verder?'

Tosca stak nadenkend haar pen in haar mond. Je wist natuurlijk nooit hoe het allemaal zou gaan: waar, wanneer, met wie. Ze zuchtte. 'Ik wou dat ik al zover was...' Ze had op dit moment geen vriend, ze was niet eens verliefd.

'Anders ik wel,' zei Mijke.

Nanet boog zich naar hen toe. Op geheimzinnige toon zei ze: 'Zal ik jullie eens wat vertellen? Ik heb het gedaan!'

Hun monden vielen open. Daarna riepen ze: 'Ben jij met Roel naar bed geweest?'

Nanet knikte glunderend. 'Ja, met Roel.'

'En dat zeg je nu pas!' riep Tosca uit.

'Wauw! Vertel!' commandeerde Mijke.

Ze kropen dichter naar elkaar.

'Het gebeurde op mijn kamer,' begon Nanet. 'Van de

week, woensdagavond. Mijn ouders waren naar de schouwburg en Roel kwam huiswerk maken. Mijn zus was bij haar vriend, dus wist ik dat we lang genoeg alleen zouden zijn. Nou, en toen hadden we dus geen zin in huiswerk maken en toen hebben we het gedaan.'

'Ja? En verder? Dit is toch geen vertellen! Hoe was het?' riepen ze door elkaar toen Nanet zweeg.

'Fijn,' ging ze verder. 'Ik kan het alleen niet zo goed na-vertellen. We waren wat aan het stoeien en toen lagen we ineens op het bed. Je gaat steeds verder. Eerst zoenen, dan overal strelen, dan je kleren uit. We hadden elkaar al eerder bloot gezien, maar nu was het anders. We waren ineens heel ernstig, joh. En dan, nou ja... Dan doe je het dus.'

Esther keek Nanet vol bewondering aan. 'Deed het pijn?'

'Nee, maar ik was wel wat zenuwachtig.' Ze dacht even na. 'Maar het gaf niks, want het was zo speciaal. Je maakt iets heel nieuws mee, het is... tja, hoe moet ik dat nou zeggen... Gewoon bijzonder. 't Voelt lekker.'

Ze vielen stil, vol ontzag. Plotseling was het of Nanet er iemand anders door was geworden. Alsof ze boven hen stond. Had ze daarom bij Alexa en Caro gestaan in de pau-ze vanmorgen en gisteren? Daar had Tosca zich al over verwonderd. Hoewel alle meiden van hun klas wel met elkaar omgingen, zaten zij vieren meestal bij elkaar.

'Hé, Tos, ga jij ook mee vanavond naar De Ketel?' vroeg Mijke ineens. Dat was de discotheek waar ze op vrijdag-avond vaak naartoe gingen.

'Ja,' riep Esther, 'gaan we kijken of we aan punt één van onze lijst kunnen werken!'

Tosca knipperde met haar ogen. O, ander onderwerp dus. 'Nee, ik ga naar mijn vader.' Ze trok een gezicht.

'O, jammer!'

Tosca zuchtte. Vond zij ook, maar ja.

'Baal je?' vroeg Esther.

Tosca keek haar aan. 'Een beetje. Ik vind het jammer dat ik niet met jullie mee kan. Ik heb elke veertien dagen het gevoel dat ik dingen mis omdat ik weg ben. Maar ja, het is ook fijn om mijn vader weer te zien.'

Mijke stond op. 'Hé meiden, laten we met het weekend beginnen!'

'Volgende week ga ik weer mee, goed?' zei Tosca.

Ze klapte haar agenda dicht en deed hem in haar tas. Hè, nu hadden ze het er niet meer over gehad hoe vaak je 'ja' moest hebben om aan de eerste keer toe te zijn.

3

'To-hós!' werd er voor de tweede keer van beneden geroepen. 'Ben je klaar?'

'Ja-há,' antwoordde Tosca, onhoorbaar voor haar moeder. Ze keek nog één keer om zich heen of ze niet iets zag wat beslist mee moest en ritste de tas dicht.

Ze stond al op de overloop bij de trap toen haar moeder met twee treden tegelijk naar boven rende. Bijna botste ze tegen Tosca op. 'Ik riep je. Hoorde je me niet?' vroeg haar moeder buiten adem.

'Jawel,' zei Tosca. 'En ik gaf ook antwoord, hoorde jij dat niet?'

Beneden in de gang stond Anna met een boos gezicht te wachten, met haar schooltas op haar rug en haar weekendtas in de hand. 'Ik moet áltijd op jou wachten,' klaagde ze.

'Nou, kom op, in de auto,' zei Tosca's moeder.

Zoals elke vrijdag om de week bracht ze hen naar het station van Y. En na ruim een uur met de trein zou Tosca's vader hen in X op staan wachten.

Tosca en Anna vonden een plekje tegenover elkaar. Toen de trein vertrok, zwaaide Tosca met een flauwe handbeweging naar haar moeder, maar bewoog direct erna haar hand door haar haar, zodat het net zo goed een doelbewuste haal door haar krullen kon zijn. Die waren het bijzonderste aan haar, zei iedereen altijd. Haar moeder had ook van die krullen. Anna had het gladde haar van hun vader, dus ze leken niet erg op elkaar.

'Ik had een acht voor Frans, Tos,' zei Anna. 'En weet je, Van Bemmelen – ken je die?'

Tosca knikte. 'Heb ik in de tweede gehad.'

'Van Bemmelen had gezegd dat hij zou trakteren als hij het s.o. nog niet had nagekeken, want hij wist zeker dat hij het zou doen van de week, maar toch had hij het vergeten!'

'Wat kregen jullie?'

'Allemaal zo'n kleine Mars! Lekker, hè?'

Nu Anna in de brugklas zat, leek ze er minder moeite mee te hebben om naar hun vader te gaan. Tosca herinnerde zich de huilpartijen in het begin, omdat ze niet wou. En omdat ze het zielig vond voor hun moeder dat die alleen achterbleef. Nou, *zij* verdacht haar moeder ervan dat ze het wel lekker rustig vond zonder ruziezoekende dochters.

Allebei deden ze de oordopjes van hun MP3-speler in. Tosca luisterde naar Brainwave, haar lievelingsgroep, en keek uit het raam naar het voorbijschietende landschap. Niet dat ze echt wat zag. Ze dacht opnieuw aan Nanet en aan hun gesprek op het gras. En aan de opmerking van Mijke: 'Maar Esther, jij en ik voldoen wel aan punt vier van de lijst: ervaring.'

Tosca boog zich naar haar tas om haar agenda eruit te pakken en zocht hun lijstje op.

1) heb je een leuke jongen/vriend?

2) wil hij ook?

3) heb je condooms?
4) heb je al een beetje ervaring?
5) ben je vertrouwd met je eigen lijf?
6) wil je het ook echt?

Tosca leunde met haar hoofd tegen het koele glas van het raam. Er was nog een punt, wat was dat ook alweer? Ze had het niet meer opgeschreven omdat Nanet toen kwam met het verhaal over haar en Roel, maar het was wel belangrijk. Of niet? Ze kon het zich niet meer herinneren. Ze keek nog een keer naar haar lijstje. Het leek haar wel compleet. Toch pakte ze haar pen en schreef achter punt één: 'Moet je van hem houden of kun je het ook zomaar met iemand doen?'

Ze sabbelde op haar pen. Ze wist het eigenlijk niet goed. Hoe zat het verder met haarzelf? Punt 1: nee. Punt 2: niet van toepassing. Punt 3: nee. Punt 4, 5 en 6: ja.

Drie keer nee en drie keer ja. Schoot niet erg op, dus. Toch had ze het gevoel dat ze eraan toe was. De nodige ervaring had ze wel. Ze had al verschillende vriendjes gehad…

Tosca zocht een lege bladzijde en schreef hun namen op, in volgorde. Ralph was de eerste, in groep acht was dat. Tjee, wát spannend. Handje vasthouden in de pauze, briefjes aan elkaar schrijven in de klas en eindeloos hartjes tekenen met zijn naam erin. Met Emiel had ze voor het eerst getongd. Robbie had als eerste haar borsten mogen voelen en daarna had ze nog een poosje verkering met Folkert gehad. Toen zat ze al in de derde. En Mark… Ja, het was jammer dat dat voorbij was. Het had echt even geduurd voordat ze daar overheen was. Mark was leuk.

Bijna een jaar had het geduurd, zo lang had ze niet eerder verkering gehad, en toen wou hij ineens niet meer. Goh, wat was ze gek geweest op die jongen. Nou ja, ze was er nu wel overheen.

En wat Esther had gezegd, klopte wel: je gaat steeds een stapje verder. Met Mark had ze uiteindelijk het meest gedaan: ze hadden halfbloot op haar kamer gezeten en ook had ze hem overal gevoeld met haar handen. Ja, echt overal! De eerste keer dat ze zijn pik voelde! Eerst had ze haar hand al op zijn broek gelegd en die bobbel onder de stof van zijn broek gevoeld. Ze had zich verbaasd over de grootte ervan en dat-ie zo dik en hard was! De plaatjes die ze van piemels gezien had, kon ze maar niet combineren met wat ze voelde. Hoe zag dat er nou in het echt uit? Later ging ze met haar hand in zijn broek. Wat een gewurm was dat geweest, omdat de band om zijn heupen zo strak was. En dan nog onder het elastiek van zijn boxershort door... En toen, herinnerde ze zich, was het verrassend zacht geweest, het vel en het topje, maar tegelijkertijd stevig. Toen Mark de knoop losmaakte en zijn rits opendeed, had ze meer ruimte om haar hand eromheen te leggen. En wat te bewegen. En hem te zien. Ze was heel erg onder de indruk geweest van hoe groot hij was.

Tosca verschoof met haar billen op de oranje zitting van de treinbank. Tjee, als ze daaraan terugdacht... Ze merkte ineens de onrust in haar onderbuik. Of nee, dat was geen goed woord. Het was meer verlangen of opwinding. Zou dat wel normaal zijn, dat ze dat zo voelde? Tosca keek uit haar ooghoeken om zich heen, bang dat iedereen kon zien waaraan ze dacht. Maar dat kon natuurlijk niet. Ze richtte haar blik strak op haar agenda en glimlachte.

'Ik ga nog even de stad in,' zei Tosca na het eten tegen haar vader terwijl ze de afwasmachine vulde.

'Nu nog? Wat wil je dan doen? Het is geen koopavond hier op vrijdag.'

'Gewoon even rondlopen. Het is zulk lekker weer.'

Haar vader keek haar verbaasd aan. 'Zit de lente in de lucht? Oké dan.'

'O ja, en morgen wil ik ook de stad in. Kijken naar een nieuwe zomerjas. Mijn oude kan echt niet meer.'

'Dat was mij niet opgevallen, het is zo'n mooie jas!'

'Ja, maar vaders hebben geen verstand van meidenjassen.'

'Nee, dat zal wel. Heb je genoeg geld?'

'Ik weet niet. Misschien.'

'Dan zeg je het maar. Weet je al wat je wilt?'

'Ja, net zo één als Mijke heeft.'

'O, natuurlijk. En wat voor jas heeft Mijke dan wel niet?'

'Dat zie je morgen wel.' Tosca gaf hem een zoen op zijn wang. 'Ik ga ook nog even bij Marina langs, hoor. Nou, doei.'

Tosca was blij dat Marina naast haar vader woonde. Al was ze twee jaar ouder, ze konden goed met elkaar overweg. Want het is lastig een vriendin te vinden in een stad waar je anders niks deed. Ze trok haar jas aan en wierp een blik in de spiegel in de gang. Ze liep echt voor gek in deze jas. Nee, haar vader had geen verstand van kleren als hij hem mooi noemde. Ze had deze jas nu twee zomers gedragen en het model zag je nergens meer. Ze stak haar armen recht vooruit. Ja, de mouwen waren gelukkig ook te kort. Al groeide ze niet meer zo snel, de jas was nu toch echt te klein.

Ze ging dichter bij de spiegel staan en bestudeerde de huid van haar gezicht. Daar werd ze ook niet vrolijk van. Weer twee puisten erbij! Bah, dat werd een joekel, en wat een rotplek zo op haar neus! Wanneer hield dat nou eindelijk een keertje op?! Ze bekeek haar gezicht eens goed en vond dat ze bleek zag. Morgen ook maar eens sneupen bij de make-upafdeling. En lekker in de zon zitten.

Nu eerst naar buiten. Buitenlucht was ook goed voor je huid, wist ze, maar daar hoefde ze niet voor naar de stad. Frisse lucht genoeg bij haar moeder. Saaie, dorpse lucht. Die kon nooit gezond zijn. Voor haar dan. Stadslucht, die wel! Die rook naar avontuur. Ze hoorde zichzelf grinniken.

Tosca was al bijna de straat uit, toen ze zich bedacht. Misschien wilde Marina wel mee, dan kon ze beter eerst bij haar aanbellen. Ze keerde om, liep terug langs de huizenblokken en belde bij de buren aan.

'Ze is het hele weekend weg,' zei haar moeder. 'De ouders van haar vriend zijn vijfentwintig jaar getrouwd en hebben een huisje gehuurd. Marina is mee. Heeft ze je dat niet verteld?'

'Och, ja, dat is ook zo.' Teleurgesteld wiebelde Tosca van het ene been op het andere. 'Nou, jammer. Doet u Marina de groeten?'

Tosca slenterde opnieuw de straat uit. Hè, nou moest ze zich alleen vermaken. En ze had net zo'n zin in... Tja, in wat eigenlijk? Ze voelde weer dat onbestemde verlangen dat haar onrustig maakte.

Snel veegde ze met de rug van haar hand langs haar wang. Nou, stel je niet aan, Tos, sprak ze zichzelf toe. Dat doe je wel vaker, in je eentje het weekend doorbrengen. En desnoods neem je je zusje een keer mee. Kleine zusjes worden zo langzamerhand ook groot.

Ze ging de hoek om bij het volgende blok huizen en liep door een paar smalle straten voor ze op een bredere laan kwam waar altijd veel verkeer was. Daarna kwam ze bij de gracht en toen was ze al in het centrum.

Op de brug bleef ze even staan kijken, ondertussen diep inademend. Er lag een hele rij woonboten, en tussen de troep in het water zwommen een paar zwarte vogels met een rood-gele snavel. De bomen langs de kade deden hun best om uit te botten.

In het centrum waren veel mensen op straat. Als het geen koopavond was, wat deden ze dan allemaal hier? Net als zij wat rondbanjeren, voortgedreven door onrust? Of door het mooie weer? Tosca bekeek gezichten van voorbijgangers. Hoe gelukkig waren zij op een avond als deze? Waren ze blij met de lente? Waren ze blij met zichzelf? Straalden de mensen die met twee of meer waren een grotere tevredenheid uit dan de mensen die net als zij alleen liepen?

Tosca keek ook naar etalages en zag… Stokstijf bleef ze staan, haar hart klopte ineens hoog in haar keel. Nu wist ze waarom ze hier had moeten lopen vanavond! Nu wist ze waarom ze zo onrustig was. Rick! Rick gaf een concert met Brainwave in X!

Toch? Verschrikt vroeg ze zich af of het niet al voorbij was. Maar dan hing de poster er toch niet meer? Welke datum was het vandaag? Ze kon het niet bedenken. Haar agenda! Wat voor datum had ze vandaag zien staan? Wat hadden de leraren gezegd toen ze huiswerk voor maandag opgaven? De hoeveelste april? Ze wist het echt niet! Tosca keek paniekerig om zich heen. Waar haalde ze de datum zo gauw vandaan?

'Meneer! Welke datum is het vandaag?' Ze schreeuwde het bijna uit. De man keek haar wat vreemd aan, maar raadpleegde toen gewoon zijn horloge. '24 april,' antwoordde hij.

Tosca bedankte niet eens, haar ogen vlogen alweer over de letters. Concert. Brainwave. 25 april. 21.00 uur. De Swing. Kaarten hier verkrijgbaar en aan de kassa.

Morgen al! Daar moest ze bij zijn!

Tosca las en herlas de tekst van de poster in de etalage van de muziekwinkel tot ze hem uit haar hoofd kende. Ze wist genoeg. Morgenochtend om negen uur stond zij weer hier op de stoep.

4

Normaal gesproken sliep Tosca het weekend uit. Normaal gesproken stond ze 's ochtends een half uur onder de douche. Normaal gesproken moest ze eerst haar ochtendhumeur overwinnen. Maar op de ochtend van 25 april niet. Veel te vroeg zat ze klaar om vóór negen uur bij de muziekwinkel te kunnen zijn.

Direct toen ze thuiskwam gisteravond, had ze gevraagd of ze naar het concert mocht. 'Toe, pap, please, dit wil ik echt heel erg graag!'

'De Swing?' had haar vader gezegd. 'Bestaat dat nog? O ja, daar ging ik vroeger ook altijd naartoe.' Er trok een vage glimlach over zijn gezicht.

Anna viel onmiddellijk in: 'Ja! Mag ik ook? Ja, pap, alsjeblieft? Ik zal heel goed naar Tosca luisteren.'

Haar vader had toen op voor zijn doen zeer besliste toon gezegd: 'Jij mag als je ook zestien bent.'

Het duurde even voor Tosca haar conclusie kon trekken, zo hard probeerde Anna nog of ze haar vader om kon praten.

'Dus ik mag?' vroeg ze voor de zekerheid.

Hij knikte en Tosca vloog hem om de hals. Daarna sloeg ze troostend haar armen om Anna heen, die riep dat het heel onrechtvaardig was. Dat zij er toch niks aan kon doen dat ze pas dertien was. En dat Tosca toch op haar kon passen.

'Ik let heel goed op en vertel je er alles van, oké?' zei Tosca, die met haar te doen had. 'En als het kan, vraag ik een handtekening, speciaal voor jou!'

Kwart voor negen was ze bij de muziekwinkel. De winkelstraat was ongewoon leeg, Tosca kende hier alleen maar drukte. Aan de overkant liep iemand met een hond en even later kwam er nog een jongen met een pet op voorbij. Net als zij te vroeg voor de openingstijd van de winkels? Tosca zette haar fiets op slot en bestudeerde de etalage van de muziekwinkel. Links van de deur cd's en rechts bladmuziek en een aantal gitaren. Ze had Mijke nog gebeld gisteravond, of die zin had om mee te gaan. Ja dus, heel erg, maar ze mocht niet. En daarom stond Tosca hier nu in haar eentje…

'Hai.'

Nee, niet langer alleen. De jongen die ze net aan de overkant van de straat had zien lopen, stond naast haar. Hij was een stuk langer dan zij, had een rode pet op en mooie bruine ogen die lachten terwijl hij naar haar keek. Wat een vrolijk type, schoot het door Tosca heen.

'Hoi,' groette ze terug.

'Jij bent er vroeg bij,' zei hij.

'Jij anders ook,' gaf Tosca terug.

Ze keek hem nog eens goed aan. Hij droeg een te lange, wijde knalrode broek met een openhangend jasje van suède, afgezet met randjes wit. Was dat wol? Ze wilde wel voelen, maar deed dat natuurlijk niet. Het zag er zó zacht uit. Hij droeg er een grijze trui onder. Lang en mager was hij, de kleren slobberden om zijn lijf en hij stond een beetje gebogen. Of was dat omdat hij nu met haar praatte? Hij moest ongeveer even oud zijn, schatte ze.

Hij wees op de poster. 'Ik kwam hier gisteren langs en zag de aankondiging van het concert van Brainwave. Daar wil ik wel heen.'

Tosca grijnsde. 'Da's toevallig,' zei ze. 'Met mij ging het net zo. Ik liep zomaar een eindje. Ik wist niks van het concert tot ik deze poster zag. Ik ben helemaal weg van Rick, dus dit wil ik niet missen.'

'Jij ook?' vroeg hij. 'Ik vond hem echt veel beter dan Elmar en Lore!'

Tosca knikte enthousiast. 'Ja, hè?' Rick was al bij de eerste rondes van *Idols* haar favoriet geweest en haar enthousiasme en bewondering waren alleen maar groter geworden. 'Je zag hem gewoon groeien,' zei ze. 'Knap hoor, zoals hij dat deed: wat de jury ook zei, hij wist zichzelf steeds te verbeteren, vind je ook niet?'

Dat hij in de finale kwam, was voor Tosca geen verrassing geweest. Hij was een absolute kanjer, maar toch had hij die laatste ronde niet gewonnen.

'Voor mij was hij nummer één,' zei de jongen met de pet. 'Ik vond het niet terecht dat hij werd weggestemd.'

'Lore en Elmar waren wel sterke concurrenten,' moest Tosca toegeven.

'Maar Rick zingt steviger, vind ik,' zei hij.

Tosca knikte. 'Mee eens. Hij is heel muzikaal. Ik vond de andere twee nog wel eens aarzelend overkomen.'

'Hij heeft uitstraling.'

'Hij heeft gewoon een prachtige stem.'

'Hij haalt heel hoge en heel lage tonen.'

'Hij was goed in alle muziekstijlen.'

'Hij hééft het gewoon.'

'En Brainwave is een toffe band, het is goed dat die elkaar gevonden hebben.'

Ze lachten.

'Zo,' zei de jongen. 'Maken wij even goede reclame.'

'Alleen jammer dat niemand ons hoort.'

'En we hoeven elkaar niet meer te overtuigen.'

Tosca bekeek de jongen met wat meer interesse. 'Houd je van muziek?'

'Ja,' was het antwoord. 'En jij?'

'Ja, heel erg.'

'Wat voor soort muziek?'

Tosca dacht even na. 'Vooral R&B. En jij?'

'Ik heb een heel brede smaak. Ik houd van allerlei stijlen.'

Ze lachten naar elkaar, daarna wist Tosca even niet meer wat ze moest zeggen. Ze wachtten zwijgend, allebei hun blik op de etalage gericht.

'Speel jij ook een instrument?' vroeg de jongen op hetzelfde moment dat Tosca haar vraag klaar had: 'Maak je zelf ook muziek?'

Weer lachten ze. Zijn hele gezicht lacht mee, dacht Tosca. Grappig, als je met hem praat, word je helemaal vrolijk.

'Ik speel piano,' zei hij. 'En jij?'

'Niks, helaas,' zei Tosca. 'Mijn zusje en ik doen andere dingen. Turnen, ballet. Maar ik luister wel veel naar muziek.'

De jongen haalde een kleine koker uit zijn jaszak en

33

deed de deksel eraf. Hij hield Tosca de Pringles voor. 'Wil je ook?'

'Lekker!' Dus aten ze 's ochtends om negen uur samen Pringles. Tot het moment dat iemand naar de deur kwam lopen.

'Yes!' zei Tosca en voelde in haar broekzak naar haar portemonnee. Ze had vanochtend onder haar ontbijtbord geld gevonden, van haar vader, die lieverd! Ze voelde haar hart alweer in een hogere versnelling slaan. Op naar het concert!

De deur werd van het slot gedraaid en opengehouden door een jongeman die er nog slaperig uitzag. 'Goedemorgen,' zei hij.

Samen met de jongen met de pet liep Tosca de winkel binnen. Wie was er nu het eerst aan de beurt?

'We willen kaartjes voor het concert van Brainwave,' zei de jongen nog voor ze bij de toonbank stonden.

Even trok Tosca haar wenkbrauwen op. We? Nou ja, hij wou dat en zij ook.

'Het spijt me. Het concert is uitverkocht.'

Wát?! Tosca was nog net niet bij de toonbank en had het gevoel dat de winkel begon te golven. De vloer was ineens niet stevig meer, maar leek meer op de cakewalk van de kermis. Uitverkocht? Néé! Ze wankelde een pas vooruit en legde haar handen plat op de toonbank. Dat vreselijke woord knalde met een echo tegen haar oorschelpen en sloeg naar binnen, alsof zware bassen plotseling door de winkel dreunden.

Had de verkoper het gezien? Hij keek haar medelijdend aan. 'Het spijt me,' zei hij nog een keer.

'Hoezo uitverkocht?' vroeg Tosca en kon wel door de grond zakken. Domme vraag dus, en ze had haar stem niet eens onder controle, zo ielig klonk hij. En ook zielig.

'Het ging hard: binnen een paar dagen uitverkocht, en dat voor een extra concert. Ingelast vanwege het grote succes.'

Tosca schraapte haar keel. 'Waarom hangt die poster er dan nog?'

De verkoper haalde zijn schouders op. 'Het concert is vanavond, vanmiddag om vijf uur haal ik hem weg. Kan ik verder nog iets voor jullie betekenen?'

Tosca keek hem aan. Wat bedoelde hij? O ja, natuurlijk, iets kopen. Nee. Ze schudde haar hoofd.

'Nou, jammer,' hoorde ze naast zich zeggen.

De jongen met de pet, Tosca was hem even helemaal vergeten. Maar hij stond nog naast haar en nam haar zwijgend op. 'Gaat het?' leken zijn ogen te zeggen.

Uitverkocht. Ze had er geen ogenblik aan gedacht dat dát kon gebeuren.

Ze voelde zich kilo's zwaarder toen ze zich omdraaide en de winkel uitliep. De pet liep met haar mee. Toen hoorde ze de verkoper achter hen zeggen: 'De kassa van De Swing gaat een uur voor aanvang open. Misschien zijn er mensen die via internet kaarten hebben besteld en die niet komen opdagen.'

Tosca keek op. De jongen naast haar stak zijn duim omhoog. 'Top!' zei hij.

Toen stonden ze samen buiten. Het was al iets drukker, registreerde Tosca. Er liep iemand vlak langs hen de winkel in.

'Het lukt vanavond vast wel. Hé, ik zie je straks wel weer!'

Zijn gezicht stond nog even vrolijk als daarvoor. Hoe deed hij dat? Tosca rilde, de lente was nog niet zo erg warm op dit moment.

'Ja, tot vanavond,' zei ze mat. En waar kwam zijn optimisme vandaan? Was dat terecht?

De jongen ging lopend verder en zij pakte haar fiets. Pas toen ze halverwege was, dacht ze aan een nieuwe jas. Zou ze omkeren of vanmiddag nog een keer de stad in gaan? Ze kon geen beslissing nemen en fietste langzaam verder. Ze voelde zich nog steeds zo zwaar, alsof de teleurstelling meer woog dan de hoop. Maar die was er wel, dat voelde ze steeds duidelijker naarmate ze dichter bij huis kwam. Die jongen woonde natuurlijk in X en was vaker op die manier aan kaarten gekomen voor een concert, bedacht ze. Hoopte ze. Dus de kans op een concert van Rick was nog niet verkeken! En ze ging nu toch maar eerst naar huis, kijken of ze op internet kon vinden waar in de buurt Brainwave nog meer optrad. En dan zou ze daarna Anna meevragen een jas te gaan kopen. Ze moest toch iets te doen hebben om de dag door te komen.

5

Hoe Tosca de tijd doorkwam, wist ze achteraf niet meer. De uren van de zaterdag kropen voorbij, maar nu was het zeven uur. Ze hadden lasagne gegeten, de keuken was opgeruimd en de vaatwasser gevuld. Eindelijk was het tijd om zich om te kleden.

'Wat doe je aan?' had Anna vanochtend gevraagd. Met schrik had Tosca zich bedacht dat ze niks had om aan te trekken, ze wist immers van tevoren niet dat ze naar een concert zou gaan. Als ze zou gaan...

Toen had ze haar plannen maar gewijzigd: ze had geen jas gekocht maar nieuwe kleren: een maillot met gekleurde strepen, een geruit rokje en een kort rood truitje. Die jas, die moest nog maar een poosje wachten.

Nu stond ze voor de spiegel haar puisten weg te werken. Die op haar neus was uitgegroeid tot een vette meeeter. Ze waste haar handen en kneep hem uit. Bah. Gelukkig had ze wel haar make-uptasje meegenomen. Ze maakte zich met zorg op en verfde haar mond knalrood.

'Ik ga hoor!' riep ze vanuit de gang naar haar vader en Anna die een spelletje deden.

'Hoe ga je?' vroeg haar vader.

'Met de fiets!' antwoordde Tosca.

'En hoe laat is het concert afgelopen?'

Ging haar vader nu moeilijk doen? 'Geen flauw idee.

Misschien ben ik over een uur al terug.'

'Nee, wacht even.' Tosca hoorde hem zijn stoel achter-uitschuiven en zag hem in de gang verschijnen. 'Best een mooie jas!' zei hij. 'Zie je wel, hij kan nog best.'

Tosca draaide met haar ogen.

'Ik wil niet dat je alleen terugfietst,' zei hij.

'Dan vraag ik iemand met mij mee te fietsen.'

'Ken je er mensen, dan?'

Tosca haalde haar schouders op. 'Die leer ik wel ken-nen.'

'En dat blijkt dan net een engerd te zijn. Nee, ik haal je op.'

'Hoeft niet.'

'Ik haal je op! Geen discussie mogelijk. Hoe laat?'

'Geen flauw idee, zei ik,' herhaalde Tosca. 'Ik bel je wel als het is afgelopen. En nou ga ik echt, want anders ben ik zo laat.'

'Het is nog maar half acht, hoor,' zei Anna.

'Zal ik je brengen?' bood haar vader aan.

'Nee-hee. Nou doei.'

Tosca aarzelde. Zou ze de fiets pakken of toch maar gaan lopen? Ze had tijd zat. Ze deed de deur met een knal ach-ter zich dicht en zette er stevig de pas in.

Al van ver was duidelijk dat er meer jongeren stonden te wachten. Ze sloot aan in de rij en zag toen pas dat de jongen met de pet er ook al was. Alleen had hij nu geen pet op.

Hij wenkte haar, en Tosca ging naast hem staan.

'Hai, was je er al?'

'Ja, hai.'

Zijn ogen waren net zo bruin als ze zich herinnerde en de lach lag ook weer op zijn gezicht. Zonder pet had hij kort bruin haar dat omhoog piekte. Grappig, vond Tosca. Hij droeg nu een andere jas, een zwart jack. Wel had hij opnieuw wijde kleren aan, een zwarte broek deze keer, met een geel shirt.

Hij stond haar ook op te nemen. 'Je ziet er leuk uit,' zei hij.

Tot haar ergernis bloosde Tosca. 'Dank je.' Ze wees op de kassa die nog niet open was. 'Wat denk je, gaat dit lukken?'

'Ik hoop het.'

Nu leek hij minder zeker dan vanochtend.

'Ben jij hier eerder geweest?' vroeg ze.

'Jawel. Jij?'

'Nee, dit is de eerste keer. Ga je vaker naar een concert?'

'Als ik geld heb. En jij?'

'Om heel eerlijk te zijn, nog niet erg vaak. Maar daar gaat wel verandering in komen.' Dat was een heilig voornemen. En dan zou ze Mijke en de anderen ook eens meenemen, wat hun moeders er ook van vonden. Daar zouden ze wel iets op verzinnen.

'Ben je alleen?' was Tosca's volgende vraag.

'Nog wel, maar ik zou samen gaan met iemand anders,' zei de jongen. 'Ik bel haar als ik kaarten heb. En jij?'

Tosca lachte. 'Kaats jij altijd de vraag terug?'

'Ja, lekker makkelijk.' Zijn ogen glommen. 'Je hoeft weinig moeite te doen om een gesprek op gang te houden. En jij? Stel jij altijd zo veel vragen?'

'Nu wel.' Tosca voelde hoe ze ontspande. Het ging helemaal vanzelf, met deze jongen praten. Hij kwam heel relaxed over.

'Ik heet Tosca, trouwens.' Ze lachte. 'En jij?'

'Mees,' zei hij.

De kassa ging nu open. Voetje voor voetje schuifelden ze naar voren. Het was helemaal niet erg om met Mees in de rij te staan. Om de beurt stelden ze een vraag, en het antwoord werd gevolgd door: en jij? Ze maakten er een spelletje van, en toch was het niet kinderachtig. Juist leuk!

Heb je broers of zussen? En jij?

Heb je gescheiden ouders? En jij?

Ik ga elke veertien dagen naar mijn vader. En jij?

Vind je school leuk? En jij?

Welke hobby's heb je? En jij?

Wat vind je het mooiste boek? En jij?

Wat vind je het lekkerste eten? En jij?

Hoe lang speel je al piano? En jij?

Niet iedere vraag kon wederzijds beantwoord worden, maar dat was juist grappig.

De rij schoot langzaam op, maar de tijd ging snel. Er kwamen meer mensen aan, die kennelijk al een kaartje hadden, want toen de deuren van de zaal eenmaal open waren, liepen die zo door. Het waren vooral veel meiden die op het concert van Rick afkwamen, zag Tosca. Soms heel jonge meiden, die hun vader of hun moeder mee hadden genomen. Pap had mee moeten gaan, dan had Anna ook meegekund. Maar ik ben blij dat hij dat niet heeft gedaan, dacht Tosca erachteraan. Dan had ik nu niet hier met Mees gestaan!

'Vind je het erg dat hier bijna alleen maar meiden op af-komen?' vroeg ze hem.

Mees schudde zijn hoofd. 'Ik vind niks erg. En jij?'

'Oorlog, kindsoldaten, vluchtelingenkampen en een zeebeving, dát vind ik erg,' zei Tosca.

Mees kneep zijn lippen op elkaar om zijn afschuw dui-delijk te maken en knikte. 'Ja, natuurlijk. Maar zo bedoelde ik het niet.'

'Ze kunnen jou niet gauw van je stuk brengen,' zei Tos-ca. 'De meiden dan. Dat bedoelde je?!'

Mees grijnsde. 'Zoiets.'

Naarmate ze dichter bij de kassa kwamen, werden de zenuwen in Tosca's buik sterker. Ze zou zo graag willen dat het doorging! Nu waren ze zo dichtbij dat ze konden volgen wat er gebeurde bij de kaartverkoop. Allemaal mensen die kaarten hadden besteld. Iedereen trok zijn por-temonnee en liep door naar binnen. Nog drie wachten-den voor hen. Nog twee. Nog één.

'We hebben geen kaarten besteld,' zei Mees toen zij ein-delijk aan de beurt waren. 'Maar zijn er misschien men-sen die hun kaart niet hebben afgehaald?'

De jongen achter de kassa wees op de rij achter hen. 'Kan ik nu nog niet zeggen,' zei hij. 'Je moet wachten en het dan iets voor negenen weer vragen.'

'Maar moeten wij dan weer achter aansluiten?' vroeg Tosca angstig. Zij wilde wel in de goede volgorde wach-ten.

De jongen van de kassa wees op een groepje jongeren dat een aparte rij had gevormd.

'Hoe groot is onze kans op kaarten?' vroeg Mees.

De jongen haalde zijn schouders op. 'Mwah, kan ik niet echt zeggen.'

Mees en Tosca keken elkaar aan. 'En jij?' zeiden ze tegelijkertijd.

Lachend sloten ze aan bij de andere rij.

Mees haalde een doosje Pringles te voorschijn.

Tosca lachte. 'Alweer?'

Hij knikte. 'Ze zijn zo lekker.'

Om de beurt verdwenen hun handen in de koker, soms raakten hun vingers elkaar. Tosca kreeg het er warm van.

'Ik zal toch maar even bellen,' zei Mees, toen de Pringles op waren. 'Ze moet nog wel tijd hebben om hier te komen.'

'Maar je weet nog niet zeker of je kaarten kunt krijgen,' zei Tosca.

Mees fronste zijn wenkbrauwen. 'Waar, maar als ik wacht tot negen uur, begint het concert ook al.'

'Moet ze van ver komen?'

'Muziekbuurt.'

'Je maakt een grapje,' zei Tosca.

'Nee, daar wonen we echt.'

'Jij ook?'

'Ja.'

Ze bleek een meisje dat bijna net zo lang en dun was als Mees, met lang steil blond haar en opvallend lichtblauwe ogen. Jammer, dacht Tosca, toen ze zag hoe ze Mees met een zoen op zijn wang begroette.

'Dit is Julia,' zei Mees tegen Tosca en daarna zei hij tegen Julia: 'En dit is Tosca.'

'Hoi.'

42

'Hallo.'

Het was niet meer hetzelfde met z'n drieën, hoewel Mees zichzelf bleef. Hun tijdverdrijf was niet meer dan wat geklets over school en muziek om de tijd te doden. Jammer, dacht Tosca weer. Ze had een zekere verbondenheid met Mees gevoeld, die nu helemaal opgelost leek. Maar ja, het was wel te verwachten dat hij een vriendin had.

Ze hielden nauwgezet de rij in de gaten en toen deze tegen negenen korter werd, gingen ze dichter bij de kassa staan. De hele club werd ongeduldig. Ook Tosca voelde de spanning in haar buik. Zouden ze nog kaarten krijgen?

Eindelijk wenkte de jongen achter de kassa: maak maar een rij, er zijn nog kaarten!

Tosca was er niet zeker van of ze allemaal in dezelfde volgorde bleven staan, want er werd ineens geduwd en getrokken. Daar hield ze dus niet van. Ineens was ze Mees ook kwijt en stond ze zo ongeveer achteraan in de rij. Maar dát liet ze niet op zich zitten.

'Hé Mees!' riep ze.

Ze probeerde zichzelf een weg naar voren te banen, maar ze werd teruggeduwd.

'Hé, niet voordringen!' werd er geroepen.

'Maar ik stond dáár, bij hem!' Ze had Mees' hoofd gezien en riep: 'Mees!'

Julia, die buiten de rij stond, trok haar aan een arm. 'Laat maar. Hij koopt drie kaarten.'

Samen wachtten ze met spanning af. Mees was nu bijna aan de beurt. Voor hem trok een man zijn portemonnee. En toen was het zover. Mees zei iets tegen de jongen achter het glas. Die keek Mees aan. Zou hij nu zijn hoofd schudden en zeggen: Het spijt me, uitverkocht?

Tosca zou hem met haar blik willen dwingen tot het pakken van drie kaarten. Drie kaarten maar. Ja! De jongen draaide zich om en zei iets, waarop Mees zijn portemonnee trok.

Fieuw! Tosca liet haar adem ontsnappen.

'Yes! Gelukt!' hoorde ze naast zich.

Kaarten en wisselgeld werden onder het glas door geschoven en Tosca zag dat de jongen nog iets zei. Mees keek verbaasd over zijn schouder en toen pas stapte hij uit de rij om naar hen toe te komen. Er lag een big smile op zijn gezicht.

'Uitverkocht,' zei hij. 'Dit zijn de laatste kaarten.'

6

Tosca wilde direct haar portemonnee trekken, maar ze werd door de twee anderen meegenomen de hal in. 'Doe dat straks maar,' zei Mees. 'Eerst naar binnen.' Ze lieten de teleurgestelde kreten van de groep bij de kassa achter zich en sloten aan bij de rij voor de deuren naar de zaal. Daar was het donker en warm, en vol mensen. Tosca bleef even staan om haar ogen te laten wennen aan het weinige licht. Alleen aan de muren hingen lampen die een zacht licht verspreidden. Aan het lage plafond hing een indrukwekkende rij spots, maar die brandden nog niet. Het podium was in afwachtend duister gehuld.

Nergens stonden stoelen, iedereen stond of liep wat door elkaar. Links in de hoek was een bar, zag Tosca nu. Ze legde een hand op haar schoudertasje. Ze moest Mees betalen, schoot door haar heen. Waar was hij? Ze zag hem niet meer. Opgenomen in de menigte. En Julia? Tosca ging op haar tenen staan, en drentelde daarna wat heen en weer. Ze waren allebei zo lang, maar ze zag hen niet. Waren ze naar voren gelopen? Zijzelf stond nog steeds achteraan. Ze moest verder naar voren! Anders zou ze niks zien.

Maar eerst wat drinken halen. Ze liep naar de bar en bestelde een breezer.

De barkeeper keek haar aan. 'Hoe oud ben je?'

Tosca deed haar tasje open en haalde haar identiteitskaart eruit. Ze was er al op voorbereid, gewend dat mensen haar jonger schatten.

'Zestien.'

Ze kreeg haar breezer en toen probeerde ze of ze in de drom naar voren door kon dringen. Ze dronk uit haar flesje en deed steeds een klein stapje naar voren. Men liet het toe. Omdat ze zo klein was? Omdat ze alleen was? Jammer dat ze Mees nu kwijt was. Leuke jongen. Heel leuke jongen. Jammer van die vriendin, maar het was niet anders. Ze nam een slok en nog een. Lekker. Ze kwam hen later op de avond nog wel tegen. De gedachte aan het lijstje 'Ben ik aan de eerste keer toe?' schoot door haar heen. Wauw, stel je nou toch eens voor dat Mees hier alleen was geweest... En geen vriendin had... Dan zou ze onmiddellijk werk van hem maken!

Toch voelde ze zich geweldig, ze ging Rick zien! Nou ja, vooral horen dan, meer naar voren stonden de mensen dichter op elkaar en kwam ze er niet meer doorheen. Zou ze proberen of ze via de zijkant verder naar voren kon komen? Tosca liep terug, maar eerst wilde ze nóg een breezer. Met een tweede flesje in haar hand probeerde ze het opnieuw. Dat was een betere tactiek: tegen de muur stonden de vaders en moeders, die haar wel lieten passeren.

Wanneer zou het beginnen? Nu? De lichten aan de wanden doofden en ineens baadde het podium in het gekleurde licht. Tosca keek verrast om zich heen. Overal schoten lichtbundels heen en weer. Haar hart nam een voorsprong op wat ging komen en bonsde snel. Er ging iets bijzonders gebeuren! Ze ging op haar tenen staan en probeerde nog verder naar voren te dringen. Ze zag niks!

Ja, toch. Daar waren de muzikanten! De drummer holde het eerst het podium op. De zaal begon te gillen en Tosca deed luidkeels mee. Het moest eruit, de spanning.

Zodra de drummer achter zijn drumstel zat, sloeg hij zijn eerste ritmes. De twee gitaristen en de keyboardspeler kwamen op en liepen naar hun instrumenten. Het intro van het eerste nummer werd over hen uitgestort. Een nummer zonder zang. Waar bleef Rick? Tosca keek links, rechts, links, rechts. De show was al in volle gang, de muziek knalde de boxen uit, maar Rick was er nog niet.

Tosca zag alleen de bovenlijven van de bandleden. Maar als ze sprong, kon ze hen bijna helemaal zien. En dat gebeurde vanzelf als je de inzet hoorde van *Say you love me*. Nu al juichte en danste de zaal. Dat beloofde wat! En toen, eindelijk, kwam Rick op. Het gegil overstemde zowat de muziek. Iedereen drong naar voren. Allemaal strekten ze hun armen uit en met elkaar gilden ze Rick een oorverdovend welkom toe. Tosca deed mee, al kon ze haar eigen stem niet eens meer horen.

Rick holde het podium op en griste de microfoon van de standaard. Wijdbeens stond hij daar en grijnsde naar de zaal. Hij zag er geweldig uit met een strakke leren broek en een zwart hemd met een glimmende leeuwenkop erop. Zijn blote schouders glommen in de spotlights. Zijn donkere, korte haar droeg hij naar achteren gekamd en zelfs van deze afstand zag Tosca zijn glanzende blik.

Toen begon hij te zingen. Krachtig klonk zijn stem boven hun hoofden en de zaal verstomde om niks te missen. Mooi, wat was het mooi! Tosca voelde de rillingen over haar rug lopen bij de aanraking van die stem, de melodie, de woorden: 'I need it so, say your love will grow.'

Aan het einde van dat nummer ging de zaal al uit zijn dak om duidelijk te maken wat ze van het optreden vonden. Tosca was het er helemaal mee eens en schreeuwde haar longen uit haar lijf.

In rap tempo volgden nummers van de cd én nieuwe nummers elkaar op. Ze zongen luidkeels het refrein mee bij de bekende liedjes. Zo veel lawaai als ze met elkaar konden maken, zo overtuigend zwijgend luisterden ze naar de nieuwe nummers.

Rick gaf zijn liedjes met een energie waaraan geen einde leek te komen. Hij liep op en neer en bewoog soepel. Zijn armen en zijn lijf waren één en al vlugge lenigheid. De microfoon leek door de lucht te zweven als hij om zijn as draaide. De muziek zat in zijn heupen, in zijn benen en in zijn voeten. Hij zong niet, hij dánste zijn liedjes. Hij vloog over het hele podium.

Tosca voelde zich deel worden van alles om haar heen. Ze loste op en wist niet meer wat ze deed of waar ze was. Er bestond nog maar één ding: Rick en zijn zingende, dansende lichaam. Het liefst had ze het podium beklommen om nóg dichterbij te zijn, zo geweldig vond ze het. Dat zij hierbij was, dat ze dit hoorde, vulde haar met trots. Alles wat tot nu toe gebeurd was in haar leven verbleekte. Dit hier: dít was leven. Nú gebeurde het. Hier draaide alles om. Dit maakte het leven de moeite waard.

Ze lieten zich met zijn allen meevoeren met de sfeer van de verschillende nummers. Stil bij de melancholieke, uitbundig bij de vrolijke teksten, ernstig bij het nummer over

48

angst en terrorisme. Maar de teksten over vriendschap en liefde vond Tosca het allermooist. Ze was ontroerd.

Hoe het was gegaan, wist ze niet. Ze kon zich later absoluut niet meer herinneren hoe ze het voor elkaar had gekregen, maar nu stond ze helemaal vooraan. Ze werd tegen het podium aan gedrukt en zou Rick aan kunnen raken als hij nu naar de zijkant van het podium zou komen. En omdat hij steeds heen en weer liep, gebeurde dat ook.

Juist toen haar lievelingsnummer *Love you, love you, love you* ingezet werd, kwam hij haar kant van het podium uit gelopen. Dit nummer had een lang intro en hij liep langzaam en in gedachten naar voren en toen langs de rand van het toneel naar opzij. Zijn blik gleed over de hoofden van de voorste rijen. Tosca zag hem dichterbij komen. Ze vond ineens dat hij er triest uitzag. Even nog had ze tijd om zich af te vragen wat er door hem heen ging, daarna werd ze gevangen door zijn blik. Ze hield haar adem in en durfde niet meer uit te ademen, bang de betovering te verbreken. Hij keek haar aan! Zijn blauwe ogen waren op háár gericht. Niet op een ander, nee, hij keek naar háár, Tosca! En hij blééf haar aankijken toen hij inzette.

'It was a night like this and I longed for a kiss…'

Wat gebeurde er? Rick keek ineens kwaad, maar nog wel naar haar. Zijn gezicht glom van het zweet en zijn ogen blonken donker. Tosca zag van dichtbij hoe gespierd zijn armen waren. Plotseling keek hij op, de zaal in, maar al heel gauw keek hij weer omlaag, zijn blik zocht en vond opnieuw die van haar.

Tosca's ademhaling was snel en hoog. Haar vuisten balden zich. Ze keek strak naar hem op en had ineens het idee dat het blauw van zijn ogen haar iets leek te zeggen. Hij blééf haar aankijken. Hoe lang? Een nummer lang? Dat kon niet, dat bestond niet. Maar Tosca bestond ook niet meer. Ze was alleen maar haar blik die verbonden was met Rick op het podium. Er kriebelde iets op haar wangen. Tosca voelde verbazing dat ze zoiets kleins kon voelen, zoiets intiems. Ze streek snel over haar wangen. Waren ze nat? Rick, nog geen halve meter van haar af, glimlachte en zakte door zijn knieën. Toen boog hij voorover en streek met een heel zachte aanraking van zijn vingers over haar wang.

Daarna was hij weg, naar de andere kant van het podium. Tosca rilde, had het ineens koud. Ze rekte zich om hem te kunnen zien. Zijn stem was er nog wel, tot de snaren van de gitaar en de toetsen van het keyboard het van hem overnamen. Maar niet voor lang. Rick kwam weer haar kant op gelopen, opnieuw zoekend in het publiek. Toen hij haar had gevonden, stak hij zijn hand uit. Naar haar? Wat wilde hij?

Ja, hij reikte zijn hand naar haar! Tosca legde haar hand in de zijne, die klam aanvoelde. Maar zijn greep was stevig en voor ze wist wat er gebeurde, had hij haar het toneel op getrokken. Samen zaten ze nu op de rand van het podium en hij zong voor haar: 'Love you, love you, love you,' terwijl hij nog steeds haar hand vasthield.

Tosca voelde de warmte van de lampen op haar gezicht, maar meer nog zijn nabijheid. Ze rook hem en ze keek hem aan en liet zijn stem over zich heen komen, die haar als een streling raakte. Overal waar ze maar geraakt kon worden.

Toen de laatste toon wegstierf, brak een oorverdovend applaus uit. In één sprong was Rick overeind. Hij landde op zijn hakken en hield beide armen gestrekt de lucht in. Tosca wist niet wat ze moest doen, maar voor ze iets kon verzinnen had hij haar al overeind getrokken en zoende hij haar ten afscheid op haar wang. Met een zachte duw in haar rug gaf hij aan dat ze het podium kon verlaten. Stijf en onhandig, alsof ze in geen dagen lichaamsbeweging had gehad, liet ze zich van de rand afzakken. Om haar heen werden handen naar haar uitgestoken om haar op te vangen. Dat was maar goed ook, want Tosca had het gevoel dat ze door haar knieën zou zakken, zo slap waren ze. Maar ruimte om te vallen was er niet. Jaloerse blikken des te meer.

Inmiddels was Rick met een nieuw nummer begonnen. De meiden om Tosca heen sprongen op en neer op de uitbundige melodie. Te midden van dat gehos probeerde Tosca overeind te blijven. En dat viel niet mee. Er werd tegen haar aan geduwd en gestoten. Maar Tosca's lijf gehoorzaamde niet meer aan het dwingende dansritme. Ze stond als verkrampt tegen het podium aangedrukt en staarde naar Rick.

Heel veel handen werden verlangend naar hem uitgestrekt, maar Rick greep ze niet. Hij liep weg, maar kwam terug. En opnieuw keek hij haar aan.

Er volgden nog drie nummers en toen werd het slotnummer aangekondigd: de hit die Rick had uitgebracht na de finale van *Idols, Just dance with me.*

De zaal gilde en juichte en klapte en sprong op en neer. Iedereen zong mee. Tosca ook weer, ze had haar verstarring eindelijk van zich af kunnen schudden. Het refrein werd vier, vijf keer herhaald voor de laatste akkoorden klonken. Rick boog en rende het toneel af. De leden van de band volgden hem.

Tosca zag hem verdwijnen en slikte. Haar keel voelde kurkdroog. Ze streek met haar tong langs haar lippen. Was dat het?

Om haar heen werd geklapt en geschreeuwd: 'We want more! We want more!'

Tosca viel in. Natuurlijk wilden ze meer! Het aanhoudende klappen en schreeuwen haalde de bandleden terug voor één allerlaatste nummer. Tosca sprong en zong, maar Rick keek niet één keer meer haar kant uit. De lichten dimden, alle mensen in de zaal hadden hun handen omhoog en wuifden heen en weer op de maat van de muziek. Een laatste, oorverdovend applaus. En daarna was het voorbij. Echt helemaal voorbij. Ze hielden het met elkaar nog een tijd vol, het geroep om 'more', maar de band liet zich niet meer zien.

Tosca was ongelooflijk trots dat hij haar had uitgekozen om mee te doen aan zijn show. Ze had het gevoel dat iedereen haar herkende toen ze naar achteren liep om wat te drinken te kopen. Ze was uitgedroogd. Ondanks het feit dat er ruimte voor haar werd gemaakt, duurde het even voor ze bij de bar was. Daarna nog op haar beurt wachten. De breezer sloeg ze in één keer achterover. Ze had nog meer dorst, dus kocht ze er nog een.

Met het nieuwe flesje in haar hand bleef ze staan. Meer

mensen bleven hangen, zag ze, al werd het wel wat leger. Uit de boxen klonk muziek, hier en daar werd gedanst. Tosca stond tegen de wand aan geleund en keek. Wat moest ze nu? Nog niet weggaan, natuurlijk. Wachten tot de bandleden naar buiten kwamen? Ze wilde hem nog één keer zien. Ze had Anna een handtekening beloofd.

Maar de band kwam natuurlijk de zaal niet in. Dan stond ze hier verkeerd. Ze nam een slok uit haar flesje en nog een. Een golf van gevoelens overspoelde haar: trots, verlangen, het gevoel speciaal te zijn. Het kon toch niet al voorbij zijn?

Toen haar breezer op was, liep ze de zaal uit. Hoorde ze iemand roepen? Dat kon niet belangrijk zijn. Er was maar één ding belangrijk: de handtekening voor Anna. In de hal struikelde ze over een jas die op de grond lag. Iemand hield haar overeind, anders was ze beslist gevallen.

Ze glimlachte. 'Dank je.'

Verder liep ze, zoekend naar een deur die naar achteren toegang gaf. Hoe heette het daar? Backstage. Zie je wel, ze was nog helder. Dáár zouden ze zijn.

Er stonden heel veel meiden in de hal. Wat deden ze daar, wachten? Was achter die meute misschien een deur?

'Waar wacht je op?' vroeg ze aan een van de meiden.

Die keek haar aan of Tosca gek was. 'Op Rick natuurlijk, voor een handtekening.'

'Komt hij hier?'

'Dat zeggen ze.'

'Of buiten,' zei iemand anders.

'Maar dan worden we gewaarschuwd, als hij weggaat via de artiesteningang,' zei weer iemand anders.

'Artiestenúítgang,' probeerde iemand leuk te zijn.

Tosca besloot te blijven staan, ze móést die handtekening.

De fans moesten een hoop geduld opbrengen. Het maakte Tosca niet uit. Ze wachtte wel.

HET VERHAAL VAN RICK

7

Rick holde het podium af en liep met grote stappen de gang in naar de kleedkamers. De deur sloeg hij achter zich dicht. Het was een goed concert geweest, maar toch was hij niet tevreden.

Hij griste de witte handdoek van de rugleuning van de stoel en verborg een moment zijn bezwete gezicht erin. Vervolgens roste hij met beide handen stevig door zijn haar. Daarna droogde hij zijn gezicht, hals, borst en oksels. Hij zag het zichzelf doen in de spiegel. De muziek, hún muziek, dreunde na in zijn oren.

Uitgeput liet hij zich op de stoel zakken. Niet normaal, zo bekaf als hij was.

Hij keek zijn spiegelbeeld aan, dat omringd was door gloeilampen. Zijn haar stond verward rechtop. Hij voelde zich net zo. De handdoek was lekker zacht, dacht hij.

Hij schrok op van de bandleden die op de deur bonkten en direct daarop binnenstapten. Rick zag het bier dat ze in hun handen hadden. Goeie jongens, béste jongens. En klasse muzikanten.

'Hé, man, goed gezongen,' zei Hassan, die hem een klap op zijn schouder gaf. 'Perfecte timing deze keer bij *Twice an angel.*'

Roberto, die achter hem aan kwam, viel Hassan bij: 'We moeten alleen nog aan de tweede stem werken, dat zit net niet lekker.'

Ook Twan en Kris kwamen de kleedkamer binnen, die ze vulden met hun stemmen en gelach.

'En die riedel,' zei Twan – en hij zong voor wat hij bedoelde – 'die moet ook anders. Is dit een idee?' Zijn stem deed het gitaarloopje na.

Roberto stompte Hassan tegen zijn bovenarm. 'Wauw, die solo van je! Tof, man, die ramde je er wel mooi uit deze keer.'

'Mee eens,' zei Rick. 'Geef me eens een pilsje?'

Een sissend geluid maakte duidelijk dat er een paar blikjes werden opengetrokken. Rick kreeg er een in zijn handen geduwd. Hij legde de handdoek in zijn nek, en liet het eerste biertje in zijn keelgat verdwijnen.

Ze bespraken wat er verder nog goed en fout ging. Een tweede blikje ging open. Ze lachten. Een moment van ontspanning, Rick ging dat steeds meer waarderen. Het leven was zo jachtig sinds hij bij Brainwave zong.

Hassan grijnsde. 'Oké, jongens, tijd voor afbreken en inladen. Rick, je fans wachten.'

Rick kreunde. Dat werd steeds meer een ramp. Zo snel ging dat: een paar maanden geleden, in de tijd van zijn toenemende succes bij *Idols*, vond hij het nog gewéldig, al die aandacht en bewondering. En nu ook nog wel, maar hij zag er steeds meer tegen op om zich tussen zijn fans te begeven. Ze wilden hem aanraken, ze duwden en trokken aan hem, soms deden ze hem pijn. Op straat herkend worden was eventjes leuk geweest, maar hij had geen eigen ik meer, leek het, hij was hun bezit geworden. Het was heel confronterend. Wie was hij? Rick? Of alleen nog maar een idool?

'Even wachten, slavendrijver,' zei Rick. 'Ik wil even alleen zijn.'

'Vijf minuten,' zei Hassan. Maar hij knipoogde.

Gelukkig hadden ze hier meer kleedkamers tot hun beschikking. De jongens vertrokken. Een moment alleen. Even rust. Straks opruimen en de bus inladen. En ja, hij kon er niet onderuit om zijn gezicht te laten zien bij de fans.

Zijn leven bestond uit reizen, optreden, reizen, optreden. Het ene concert na het andere, extra concerten zelfs. Het was bijna niet spannend meer. En overal fans. Prachtige meiden zaten erbij. Maar ze gilden zo, ze lieten zich zo gaan. Gênant vond hij het soms. Hier zou het niet anders zijn: wachtende meiden die een handtekening wilden. Nou ja, het hoorde erbij. Hij kon het niet maken, vond hij zelf, om niet aardig te zijn.

Met de handdoek in zijn rechterhand wreef hij nog een keer over zijn achterhoofd. Hij zweette nog steeds.

Hij had goed gezongen, dat wist hij gewoon, maar waarom dan die onrust? Hij keek naar zijn ene been, dat snel op-en-neer bewoog. Dat gebeurde vanzelf, om zenuwachtig van te worden.

Rotwijf, dacht hij. Jouw schuld.

Mooie Marleen. Prachtige Marleen. Bitch van een Marleen.

Ze had hem aan de kant gezet. Ze hoefde hem niet meer. Ze wilde hem niet delen met Brainwave. En al helemaal niet met die gillende, dwepende fans, had ze gezegd.

Ze had gepraat, verteld wat het haar deed, en dat eindeloos herhaald... Hij had het niet begrepen.

Begreep zij niet dat hij groeide door zijn succes? Dat hij geen keus had dan alleen dóórgaan? En dat die meiden hem echt niks deden. Nou ja, wel íéts natuurlijk, zo ongevoelig was hij nu ook weer niet. Hij voelde zich gestreeld. Maar ze wist toch wel dat zij de enige was? Hij hield van haar. Zij was belangrijk voor hem. Maar nee, dat snapte ze niet. De hele nacht hadden ze gepraat. Ze hadden beter met elkaar naar bed kunnen gaan! Rick maakte nog een blikje open. Ze had geëist dat hij normaal zou doen. Maar hij deed normaal. Of misschien kon je in de omstandigheden waarin hij nu leefde wel helemaal niet meer normaal doen. Als je in zo'n waanzinnige toestand leefde als hij nu, wat was dan nog normaal?

Ze had geëist dat hij meer tijd voor haar zou vrijmaken. Maar de showbizz kun je er niet even bij doen. Het is keihard werken, en heb je geen succes, dan kun je het verder wel vergeten. Ze had ook gezegd dat hij stom was als hij zijn vwo niet zou afmaken. Hij probeerde tussendoor nog zoveel mogelijk naar school te gaan, maar hij zat meer te slapen in de schoolbanken dan dat hij iets opstak.

Rick stond op van de stoel, waardoor de handdoek op de grond viel. Hij liep een zinloos rondje om de stoel heen en liet zich er toen weer op vallen.

Het meisje leek wel een beetje op Marleen. Haar ogen hadden hem als een magneet aangetrokken, vanaf het moment dat hij haar had ontdekt. Hij werd geraakt door haar. Ze leek zo fris. Hij had haar blik steeds weer opgezocht. En háár had hij het podium op getrokken.

Marleen. Nooit meer Marleen. Dat was moeilijk te accepteren.

Marleen was nog van vóór de roes. Zij had hem nota bene opgegeven voor *Idols*. Zij had zijn zenuwen weggepraat, zijn onzekerheid weg gezoend. Zij was zijn grootste fan bij alle rondes. Zijn zelfvertrouwen groeide naarmate hij verder kwam, toen de jury steeds maar weer uitsprak dat zijn stem kwaliteit had, dat hij uitstraling had, dat zijn performance goed overkwam.

God, wat was hij bang geweest voor dat oordeel, iedere keer weer. Steeds verwachtte hij dat het zijn beurt was om te horen: dit lijkt nergens naar, het is muzikaal niet verantwoord, dit is het dus helemaal niet. Je zingt valse tonen, je beweegt houterig, je komt niet over, we zien dat je bang bent...

Nou, bang wás hij. Dat hij zijn gezicht niet in de plooi zou kunnen houden als het oordeel geveld werd. En daarna dat hij weggestemd zou worden.

Maar in de finale was hij nog steeds dezelfde Rick als bij het begin. Was hij anders geworden toen het succes kwam? Het was allemaal een logisch gevolg van zijn plaats in de finale: de jongens van Brainwave, de optredens met de band, de gillende meiden die hem wilden aanraken.

Was hij veranderd? Hij dacht van niet. Marleen zei van wel. Ze hadden elkaar niet begrepen.

Hij had er keihard voor gewerkt. Zij was een ondankbare trut!

En nu had ze een pauze ingelast. Zo zei ze het. Een pauze in hun relatie. Het was aan hem zijn leven te beteren. Dan pas zou ze eventueel met hem verder kunnen.

Maar hij wist niet precies waarín hij dan moest veranderen.

Hij had er nooit aan toegegeven als hij een leuk meisje tussen de fans had zien staan. Hij was Marleen altijd trouw gebleven. Ze had hem niets te verwijten. Zoals hij reageerde op zijn fans, was all in the game. Dat zo'n intelligente meid als Marleen dat niet begreep!

Zou zij ook staan wachten buiten, het meisje met de krullen?

'Ben je zover, Rick?'

Daar was Hassan. Hij ging altijd mee, want er waren meiden zat die ook zijn handtekening wilden. En er moest ook iemand zijn die Rick uit een massa meidenlijven zou kunnen redden als ze hem dood dreigden te drukken. En die iemand moest een sterke spierpartij hebben. Hassan dus.

Rick haalde zijn handen door zijn haar en trok zijn jack aan. Daarna stapten ze de gang in. Voor de deur naar de hal stonden ze een ogenblik stil. Alsof hij een grote hap lucht moest nemen voor hij erdoor kon. Had hij zijn pen? Hij voelde in de binnenzak van zijn jack, keek Hassan aan en knikte dat hij er klaar voor was.

Het was alsof hij met het opendoen van de deur een geluidsband startte. Het gegil stortte zich over hen uit. Het duwen begon. Zoals gebruikelijk waren het uitsluitend meiden die hier op hem stonden te wachten.

Maar daar waren Hassans sterke armen en zijn diepe bas al. 'Niet duwen! Aan de kant! Geef Rick de ruimte!'

Snel krabbelde hij zijn naam op de vodjes papier, agenda's en schriften die hem werden voorgehouden. Hij voelde dat ze zijn armen en schouders aanraakten, glimlachte voorzichtig en gaf antwoord op de vragen die hij in het lawaai kon opvangen. Maar hij was er met zijn gedachten niet bij. Zijn blik dwaalde onrustig over de hoofden van de meiden, op zoek naar haar.

Dáár stond ze! Het leek of ze geduldig haar beurt afwachtte. Hij kón eraan toegeven, dacht hij. Geen mens die hem tegenhield vanavond. Adembenemend was ze. Hij werkte zich haar richting uit.

'Hai,' zei hij en zocht naar iets origineels om te zeggen. Honderd paar meisjesogen maakten dat er niks bovenkwam.

'Hoi. Mag ik een handtekening voor mijn zusje?' vroeg ze.

'Voor je zusje?' Rick trok zijn wenkbrauwen op. 'En jijzelf?'

Bloosde ze? Wat grappig! Ze sloeg haar ogen neer en hield hem een klein oranje opschrijfboekje voor.

'Twee dan maar?' vroeg hij.

Ze keek hem aan. Die ogen, die ogen! dacht hij, en de handtekeningen kwamen bibberig op het papier terecht.

Hij lachte. 'O, een beetje mislukt.'

'Hindert niet,' zei ze. 'Ze zijn duidelijk van jou! Dank je wel voor het concert, ik vond het erg mooi.'

'Jij bedankt voor het compliment.'

Ineens had hij genoeg van deze hele poppenkast. Zijn blik zocht die van Hassan. Ik kap ermee, wilde hij daarmee zeggen.

Hij legde zijn hand even op de tengere schouder van het meisje. 'Wil je wat drinken?'

Opnieuw schoot een rode kleur over haar wangen. Haar ogen begonnen nog sterker te blinken. Wat was ze betoverend mooi...

'Oké.' Het was meer een vermoeden van haar antwoord dan dat hij in het rumoer haar stem hoorde. Hij probeerde met haar terug naar de kleedkamers te lopen. Ze kwamen maar langzaam dichterbij.

'Geen handtekeningen meer vandaag! Sorry,' riep Hassan luid.

Rick hoorde de protesten wel. Vandaag niet, vandaag niet, klonk in zijn hoofd. Morgen weer, beloofde hij zijn publiek van morgen. Waar was hij morgen? Hij kon het niet bedenken. Het deed er ook niet toe.

Vergezeld door jaloerse blikken bereikten ze de deur. Hassan stond vlak achter hen. Rick slaakte een zucht van verlichting. Hij pakte Hassan bij zijn bovenarm en zei in zijn oor: 'Zorg ervoor dat niemand ons stoort, alsjeblieft.'

In de gang naar zijn kleedkamer was het een stuk koeler. Hij hoorde haar diep ademhalen en lachte. 'Hier zijn we veilig.'

Hij duwde haar zacht de gang in. 'Hoe heet je?'

'Tosca.'

'Mooie naam, Tosca. Kom binnen. We zijn samen, jij en ik. Zo woon ik op het moment: kleedkamer hier, kleedkamer daar. Wil je wat drinken? Ik ben bang dat ik je alleen maar bier kan aanbieden. En een lekkere bank om onderuit te zakken heb ik ook niet. Ik schuif deze stoelen maar naast elkaar, zo kunnen we het ook gezellig hebben.'

Tosca keek naar hem op met die hemelse blik en accepteerde met een gelukzalig glimlachje het blikje dat hij haar aanbood. Het maakte hem ineens gek van verlangen. Ze gingen naast elkaar op de twee stoelen zitten en hij legde zijn hand in haar nek, waar kleine krulletjes uit de paardenstaart piekten waarin ze het haar had opgebonden.

'Woon je in X?' vroeg hij, met zijn blik op die krulletjes.

Terwijl zij vertelde, streelden zijn vingers de huid van haar nek. Ze leunde tegen hem aan. Dat was het teken waarop hij wachtte. Hij boog zich naar haar toe en zag dat ze haar lippen alvast een beetje van elkaar had gedaan.

HET VERHAAL VAN MEES

8

'Waar is Tosca nou gebleven?' Mees keek om zich heen. Julia blikte ook rond. 'Ik zie haar niet meer! Maar het is ook zó vol en ze is niet groot.'

Voetje voor voetje waren ze de zaal in gelopen en nu stonden ze temidden van vele anderen te wachten tot het concert zou beginnen.

Waarom was ze weg? Was ze expres bij hen vandaan gelopen? Had ze bekenden gezien? Maar dan had ze dat toch kunnen zeggen?! Of waren ze elkaar gewoon per ongeluk kwijtgeraakt? Teleurstelling nestelde zich in Mees' maag. Hij was ervan uitgegaan dat ze met z'n drieën naar het concert zouden luisteren! Zo'n apart meisje wilde hij graag beter leren kennen. En hij had gedacht dat het van twee kanten goed klikte.

Maar ga maar eens iemand zoeken in een zaal vol mensen! Hij trok Julia aan haar arm.

'Even rondkijken! Loop je mee? Straks ben ik jou ook nog kwijt.'

Ze wurmden zich kriskras door het wachtende publiek, maar het leverde te veel geïrriteerde blikken op.

'Onbegonnen werk!' riep Julia in zijn oor. Ze keek hem aan. 'Het is wel raak, hè?'

Mees knikte. Dat kon je wel zeggen. Hij zag haar weer voor zich zoals ze in de rij hadden staan wachten vanavond. Het mooie rode truitje met het korte geruite rokje en de kleurige gestreepte benen eronder, haar springerige krullen en haar sprankelende ogen. Nooit eerder had hij zo gemakkelijk met een meisje gepraat. Het was allemaal vanzelf gegaan, want zo'n vlotte jongen was hij anders niet. Als hij met een meisje was, vergat hij soms gewoon dat je dan ook moest praten. Zwijgen kon hij beter. Daar waren anderen weer niet goed in: sommige mensen konden alleen maar een eind weg zwetsen. Maar iets in haar riep het bij hem op. Hop, het was er zomaar: het ene verhaal na de andere vraag.

Hij wilde verder zoeken, maar het publiek drong naar voren, dichter en dichter op elkaar. Iemand stompte hem heel gevoelig in zijn zij. Met zijn handen tegen de zere plek gedrukt bleef hij staan. Hij was wel lang, maar Tosca viel met haar geringe lengte natuurlijk helemaal niet op.

Hij vond meisjes vaak van die leeghoofden. Giechelen en kletsen konden ze als de besten, maar zelden hadden ze ook echt iets te zeggen. Bij Tosca had hij dat gevoel niet gehad. Hij wilde dolgraag weten wat er allemaal in dat mooie hoofdje omging. En nu was hij haar kwijt!

Julia riep: 'Dit gaat niet lukken! We zoeken haar straks wel op!'

Hij had geen keus.

De spanning van wat ging komen, lag bijna voelbaar in de atmosfeer. Een deel van het publiek had vast teksten van Brainwave ingezet. Mees haalde een doosje Pringles uit zijn jaszak en hield het Julia voor. 'Was pa nog kwaad toen jij hierheen ging?' vroeg hij.

Julia antwoordde diplomatiek. 'Ach, die trekt wel weer bij.'

Ze hadden vanavond eigenlijk mee gemoeten op verjaarsvisite. Oma was jarig. Niet de zijne, maar de oma van Julia. En omdat hij dit weekend bij zijn vader was, moest hij mee.

'Je hoort bij ons gezin, jongen, daar valt niets op af te dingen. Dus ga je mee,' had zijn vader gezegd. Maar pas vanavond, toen hij zijn jas al aantrok om naar De Swing te gaan.

'Ik weet nergens van!' had hij geprotesteerd. 'Ik wil naar het concert van Brainwave!'

Maar volgens zijn vader moest hij op de hoogte zijn. 'Twee weken geleden heb ik het ook al gezegd. Je bent hier toch al zo weinig en dan ga je ook nog aldoor je eigen gang!' klonk het verwijt.

Maar dat was dus echt niet zo! Hij wist het heel zeker: hij hoorde nu pas van de plannen. Julia, de liefste en trouwste stiefzus van de wereld, was hem bijgevallen: 'Ik wist het ook niet, hoor pa, ik geloof echt dat je je vergist.'

'Maar jij weet het toch wel!' antwoordde hun vader. 'Jij weet toch wanneer je oma jarig is?'

'Jawel, ik weet dat ze vandaag jarig is, maar niet dat we vanavond naar haar toe zouden gaan,' verdedigde Julia zich. 'Voor hetzelfde geld gaan we morgenmiddag, dat doen we anders toch ook, op zondagmiddag.'

'Wij gaan morgen wel samen naar haar toe,' beloofde Mees.

Maar hun vader hield voet bij stuk. 'Dat is niet gezellig. Ik wil met z'n allen.'

Met z'n allen, dat waren: zijn vader, de moeder van Julia en Ilse, Julia en Ilse zelf, en Mees' kleine halfbroertje Ronnie. En hij. Nou, hij ging mooi niet mee! Die pa van hem dacht wel vaker dat hij iets gezegd had wat hij níét had gezegd.

Julia's moeder had er uiteindelijk voor gezorgd dat ze weg mochten. Geschikt mens, die moeder van Julia, al wist Mees dat Julia daar anders over dacht. Maar hij mocht haar wel. Het was dan ook helemaal geen straf om de weekenden bij zijn vader te zijn. Ze hadden het best gezellig 'met z'n allen'. Dat vond hij ook. Alleen vanavond niet.

Mees schrok op uit zijn gedachten omdat de spotlights aanfloepten en de zaal uitbundig begon te joelen. Daar was de band! Het begon! Goed op sterkte, prachtige sound! Als vanzelf bewoog zijn lijf met de dreunende bassen mee. Pas bij de inzet van het tweede nummer – *Say you love me* – kwam Rick op. Tof zag die gozer eruit in zijn zwarte broek en strakke hemd. Mooie print erop, helemaal af.

Mees kende de tekst uit zijn hoofd. Dat gold voor meer lui uit het publiek, hoorde hij wel. Ook Julia zong uit volle borst mee. Ze genoot net zo hard van de muziek als hij. In een flitsend tempo speelden ze de nummers. Ze leken bijna in elkaar over te gaan, zo vlot achter elkaar werd er gespeeld. Er waren ook nieuwe nummers bij. Goeie teksten! Fraai, die intro! Fantastische drumsolo!

Stond Tosca nu nog maar naast hem, dan had hij nog harder genoten. Hij moest er straks echt voor zorgen haar weer te vinden. Dat hij haar ontmoet had, maakte hem gelukkig vanbinnen. De muziek vulde dat aan: goed was dit. Heel goed.

Hij zag Rick heen en weer lopen over het podium. Hij kon zich best voorstellen dat al die meiden voor hem vielen. Julia had ook al een paar keer in zijn arm geknepen. 'Wat is-ie knap, hè?' Tenminste, hij had aangenomen dat ze zoiets zei, want verstaan konden ze elkaar niet, maar haar gezicht sprak boekdelen.

Dat er meer meiden dan jongens waren, maakte hem niks uit. Hij kwam voor de muziek. En hij was gekomen om Tosca te ontmoeten, dacht Mees ineens. Hij zou de hele zaal uitkammen, hij zou bij de uitgang gaan staan, hij zou haar naam laten omroepen... Hij moest en zou haar terugvinden!

Hij was in gedachten zo met haar bezig dat het niet direct tot Mees doordrong. Julia gaf hem een elleboogstoot en hij wilde al geërgerd terug porren. Maar Julia gilde: 'Daar is ze! Jouw Tosca!'

Inderdaad werd Tosca het podium op getrokken! Kijk nou! Ze zaten samen voor op het toneel, Rick en zij, met hun benen bungelend over de rand. De lichten op het toneel dimden, zij tweeën zaten in een volgspot en hij zong nu in de eerste plaats voor háár. Zijn gezicht was naar haar gekeerd, zijn handen dansten rond haar hoofd, maar raakten haar net niet aan. Het leek bijna alsof hij haar streelde.

De zaal was doodstil. Mees hield zijn adem in. Ze had dus vooraan gestaan. Hoe had ze dat voor elkaar gekregen? Hij kon wel begrijpen dat Rick haar eruit had gepikt. Ze was een opvallende verschijning. Wat een mooi plaatje, zo. Wat een mooi lied!

Maar dat de woorden nu voor Tosca bestemd leken, beviel hem minder. Nee, dat was natuurlijk niet zo, het was all in the show, maar ondanks de afstand van hem naar het podium zag hij wel Tosca's gezichtsuitdrukking. Eén en al aanbidding.

En dus kon hij het wel schudden. Hier kon hij niet tegenop.

Toen de laatste tonen doofden, klapte hij niet. Rick nam staand het applaus in ontvangst en bedankte Tosca met een zoen op haar wang.

Mees kon zich wel voor zijn kop slaan dat hij niet beter op Tosca had gelet. Als zij nu naast hém had gestaan in plaats van helemaal vooraan, was het bij dit lied heel anders gegaan...

De lol was eraf. Er volgden nog een paar nummers, en helemaal niet minder goed dan hiervoor, maar Mees had niet meer de neiging mee te bewegen. Het raakte hem niet meer. Gladde nummers, vond hij, de muziek te voorspelbaar en de teksten te weinig poëtisch.

Na de toegift hield het klappen en joelen nog lang aan. Nee, hij was niet eerlijk, gaf Mees inwendig toe. Het waren goede muzikanten die het applaus terecht hadden verdiend.

Ze lieten zich met de stroom meevoeren naar de uitgang.

Waarom keek Julia hem nu zo aan? 'Wat doen we?' vroeg ze.

Zijn hoofd werkte niet goed. Wat bedoelde ze?

'Ik wil nog wel in de rij voor een handtekening!' verduidelijkte ze toen hij niet antwoordde. 'Of gaan we eerst Tosca zoeken?'

Mees haalde zijn schouders op. 'Misschien.' Had het wel zin, vroeg hij zich af. 'Eerst maar wat te drinken halen,' zei hij. 'Wacht hier maar op me.'

Mees kocht een cola voor Julia en een pilsje voor zichzelf en met de twee flesjes zocht hij Julia weer op, die net buiten de drukte stond.

'Tosca liep langs, die kant op,' wees Julia. 'Ik riep haar nog, maar ze hoorde me niet.'

Ze leek even te aarzelen. 'Ze zag eruit als een zombie.'

Mees knikte. 'Ga je mee?'

Ze liepen naar de hal en zagen daar de fans staan die op een handtekening hoopten. Mees keek naar al die meisjesgezichten, maar zag haar niet. Dan zich er maar tussen begeven. Hij haalde diep adem, alsof hij in het zwembad dook.

'Sorry, sorry, sorry,' zei hij tegen de protesterende meiden. 'Ik zoek iemand.'

'Ja, wij allemaal, asociale eikel!' riep iemand.

Onverwacht stond hij dan toch voor haar.

'Hé, hai,' zei hij.

Ze keek hem aan met een blik waar geen herkenning in lag. Maar ze zei wel: 'Hé, hoi.'

'Ik was je ineens kwijt,' vervolgde Mees.

'O.'

'Maar nu zie ik je weer...'

'Eh...'

Wat een stomme situatie! Stond hij hier met de meest fantastische meid die hij ooit had ontmoet onder het toeziend oog van wel honderd anderen, die natuurlijk allemaal nieuwsgierig meeluisterden. Dus nu kwamen de woorden niet meer vanzelf. Maar dit was ook een andere Tosca.

'Mooi, het concert,' zei hij dus maar. 'Vond je niet?'

Ze knikte, en haar blik dwaalde af naar de zijkant van de hal. Wat was daar te zien? Ze kon toch niet over de hoofden heen kijken?

'Eh...' stamelde hij, ineens onzeker. 'Ga je... Zullen we...'

Het had geen zin. Tosca was er niet meer voor hem, dat was duidelijk. Verslagen draaide hij zich om en zonder nog iets te zeggen liep hij van haar weg.

'Helaas, jongen,' hoorde hij iemand achter zijn rug zeggen. Wat een afgang! Ze hadden natuurlijk Tosca allemaal op het podium zien zitten. Ze lieten hem gemakkelijker door nu hij in omgekeerde richting liep.

Daar stond Julia, aan de buitenkant van de groep fans. Ze sloeg haar arm om hem heen. 'En?' vroeg ze.

Hij moest iets wegslikken. 'Het lijkt wel of ze me niet herkent.'

'Tja, die is verkocht...' zei Julia zacht. 'Heb je wel je geld teruggevraagd?'

'O nee, vergeten.' Mees keek Julia aan. 'Ze was zó leuk, ze was zó apart...'

'Ik weet het, ik zag het aan jullie.' Julia streelde troostend met haar hand over zijn schouder.

'Jullie?' Mees keek op. 'Aan haar dus ook?'

Julia knikte heftig. 'Ja, ik begon al te denken dat het een heel bijzondere avond zou worden...' Ze keken elkaar een moment aan. 'Sneu voor je.'

Mees knipperde met zijn ogen. Hij keek weg van de

drukte, in de richting van de uitgang. Daar was het begonnen, toen ze in de rij stonden te wachten. Nee, vanmorgen al, bij de muziekwinkel. Ze was de hele dag niet meer uit zijn gedachten geweest.

'Wat wil je?' vroeg Julia. 'Wil je naar huis?'

'Jij wilt natuurlijk nog wachten op een handtekening,' zei hij.

'Eigenlijk wel,' antwoordde Julia, 'maar anders ga jij vast.'

Mees schudde zijn hoofd. 'Wordt pa helemaal kwaad. Nee, ik wacht wel. Ik ga nog een biertje halen en...'

'Je verdriet wegdrinken,' vulde Julia aan.

Er bestond toch nog een lach. Mees hoorde hem uit zijn eigen keel opklinken. 'Ik zit binnen,' wees hij. 'Ik zie je straks wel.'

9

Met een lege blik in zijn ogen stond Mees tegen de muur van de zaal geleund, zijn hoofd in zijn nek, holle rug, één been opgetrokken. Zonder erbij na te denken ging het flesje heen en weer naar zijn mond. Toen het leeg was, kocht hij een nieuwe. Daarna drentelde hij wat rond. Zo kwam hij opnieuw in de hal terecht, net op het moment dat er tumult ontstond. Daar was Rick eindelijk, dacht Mees. Hij schoof het beeld van Rick en Tosca op het podium opzij. Hij wilde niet aldoor naar dat plaatje kijken dat hem door zijn brein werd voorgeschoteld. Kon hij de fotogalerij maar afzetten!

Van een afstandje bekeek hij het geduw en getrek en gegil. Hij was niet de enige die toekeek. Een groep ouders wachtte aan de zijkant van de hal op hun dochters.

En tussen al die meiden stond ook Tosca. Als zij straks langskwam op weg naar de uitgang, in het gelukkige bezit van een handtekening, zou hij dan een nieuwe poging wagen? Haar telefoonnummer vragen, bijvoorbeeld, voor als ze afgekoeld zou zijn? Of zou dat alleen maar goed zijn voor een nieuw fiasco?

Hij kwam er niet goed uit wat verstandig was. 't Liefst wilde hij helemaal niet wijs zijn. Hij was verliefd, en niet zo'n beetje ook! En dan wil je toch maar één ding...

Ja, maar hij had ook zijn trots...

Plotseling werd zijn aandacht getrokken door heel andere geluiden. Mees keek op. Wat was er aan de hand? Het enthousiaste roepen was overgegaan in boze en teleurgestelde kreten. Ricks naam werd nog een paar keer geroepen, daarna viel de meidenmassa uit elkaar. Tot zijn verbazing zag Mees meisjes bij wie de tranen over het gezicht liepen.

Mees keek en keek. Waar was Tosca? Hij kreeg ook nog geld van haar.

Hij merkte niet dat Julia naast hem was gaan staan, dus schrok hij op van haar stem: 'Ze komt hier niet langs...'

Zonder te begrijpen wat ze zei, keek hij haar aan. 'Wat bedoel je? Er is geen andere uitgang, toch?'

'Ze is met hém mee...'

Mees sloeg zijn ogen neer en klemde zijn kaken stijf op elkaar. Hij probeerde het te denken: ze is helemaal niet bijzonder. Ze is net als al die andere fans: ze valt gewoon voor zijn status als popidool.

'Heb jij een handtekening?' vroeg hij toen.

Julia zuchtte. 'Nee, we kwamen niet meer aan de beurt. Vandaar al die protesten.'

Ook Mees moest zuchten. 'Nou, dat was het dan. Laten we maar gaan.'

Ze liepen naar buiten en zochten hun fietsen op. Mees probeerde niet te denken aan wat daarbinnen in de kleedkamers of achter het toneel van De Swing gebeurde. Maar steeds als hij dacht: niet aan denken! dacht hij er toch weer aan.

Zwijgend legden ze de weg naar huis af. Zijn vader en Julia's moeder waren nog op. Mees liep door naar zijn kamer, hij liet het aan Julia over verslag uit te brengen. Hij poetste zijn tanden, maar kleedde zich niet uit, op zijn schoenen na. Languit op zijn bed, met zijn handen onder zijn hoofd en een heel ander soort muziek dan Brainwave uit de oortjes van zijn MP3-speler dacht hij aan Tosca. Zijn tenen bewogen onophoudelijk heen en weer. Zenuwlijer, schold hij inwendig. Hij balde zijn vuisten. Rustig nou, man, er zijn ergere dingen in het leven. Mees had pijn in zijn buik. Hij ging plassen, maar voelde zich niet opgelucht.

Hoe lang lag hij al zo? Ineens kwam hij overeind. Hij hield het niet uit. Hij ging terug! Haastig trok hij zijn schoenen weer aan, smeet zijn MP3-speler op het hoofdkussen en liep zo zacht hij kon de trap af. In de kamer brandde geen licht meer. Waarom gedroeg hij zich als een debiel, vroeg hij zich af toen hij zijn fiets uit de schuur pakte. Waarom wilde hij terug? Omdat hij een debiel wás. Hij wist niks van haar, geen adres, geen telefoonnummer, niks. Misschien, heel misschien trof hij haar daar nog aan. En dan zou hij haar vragen… Misschien dat ze dan een andere keer…

Misschien, misschien. Hoeveel keer had hij het woord 'misschien' gedacht toen hij De Swing weer naderde? Had hij deze afstand ooit zó snel afgelegd?

Hijgend stond hij stil langs de stoeprand en keek naar het gebouw waar geen mens meer te bekennen was. Nou ja, er kwam een voorbijganger langs. En nog een. En een hele groep, vrolijk met elkaar pratend. Het was tenslotte zaterdagavond en De Swing lag midden in het uitgaansgebied. Maar de zaal was dicht. Geen fans meer, geen lichten meer, niks meer.

Mees veegde het zweet van zijn voorhoofd. Aan de achterkant van het gebouw konden best nog mensen zijn. Er moest een achteruitgang zijn. Dat hoorde je ook wel, dat dáár fans stonden te wachten, bij de deur waardoor de artiesten in- en uitgingen. En misschien was de band nog aan het inladen.

Waar zou dat zijn? Mees fietste de straat uit, reed twee keer de hoek om en zag het smalle, donkere steegje. Dat sloeg hij in. Hier stonden geen straatlantaarns meer, hier was alleen de weergalm van het uitgaanspubliek.

Leeg. Niks. Waarschijnlijk was hij hier wel goed, want op de hoogte waarvan hij dacht dat De Swing moest zijn, waren twee deuren. Ook dicht. Alles dicht en donker en voorbij. Hij was een idioot te denken dat hij...

Toen hoorde hij iets. Een zacht geluidje was het maar. Zijn ogen waren inmiddels gewend aan het donker en nu zag hij het ook: er zat iemand ineengedoken tegen de muur, een eindje van de deuren van De Swing vandaan, met het gezicht in de armen.

Aarzelend deed hij een paar stappen naar hem toe. Of was het verstandiger weg te gaan? Je wist maar nooit tegenwoordig. Een agressieve junk wilde hij liever niet storen in zijn roes. Maar was het wel een junk?

Mees kuchte. De ineengedoken figuur op de grond reageerde niet. Wat moest hij doen? Iets in hem zei dat hij hem – of haar? – niet aan zijn lot over kon laten.

'Kan ik je helpen?' vroeg hij dus maar.

Nu kwam het hoofd omhoog. Die krullen... Hij dacht al... Mees hapte naar adem. Het was een meisje... Het was...

76

'Tosca!'

De echo van haar naam klonk onverwacht luid in de steeg en zij kromp ineen. Mees zakte door zijn knieën en strekte zijn handen uit. Ze leek van hem weg te willen kruipen, maar had geen ruimte omdat de muur haar tegenhield, dus dook ze opzij.

Snel trok Mees zijn handen terug. 'Tosca?!' zei hij weer, beheerster nu. 'Wat doe jij hier? Wat is er gebeurd?'

Ze schudde haar hoofd heen en weer en ging daarmee door. Ze zei niks. Herkende ze hem niet? Ze had haar knieën opgetrokken en haar jas om zich heen geslagen. Toch leek ze te rillen van de kou.

Nu zijn ogen gewend waren aan het donker, zag hij haar gezicht. Ze zag er niet uit. Haar make-up was uitgelopen en er zaten vegen over haar gezicht alsof ze had gehuild. Er kleefde bloed op haar slaap. Haar krullen waren uit haar paardenstaart ontsnapt.

'Tosca? Weet je wie ik ben?'

Ze hikte.

Was ze dronken? Hij stak zijn handen weer uit en legde ze op die van haar. 'Ik ben het, Mees!'

Ze reageerde niet op zijn naam. Weer hikte ze. En toen, volkomen onverwacht, gaf ze over. Een golf kwam uit haar mond. Mees sprong overeind, maar kon niet alle spetters ontwijken. Tosca was half overeind gekomen en spuugde in hurkzit tussen haar knieën op de straatstenen. Ze kokhalsde nog een paar keer, waarbij de tranen over haar vuile wangen stroomden.

Mees ondersteunde haar en zij liet het toe. Het stonk, maar zijn medelijden was groter. Uiteindelijk veegde ze met haar hand haar mond schoon en daarna probeerde ze op te staan. Mees voelde haar wankelen en zijn greep werd steviger.

'Wat doe jij hier?' vroeg ze met een zwakke stem.

Ze herkende hem, dacht Mees blij. Haar blik leek ook iets helderder.

'Jou zoeken,' zei hij. 'Maar wat doe jij hier? Wat is er gebeurd?'

Ze gaf geen antwoord, haar blik was troebel.

'Heeft Rick je iets aangedaan? Waar is hij nu?'

'Ik voel me niet lekker,' zei ze. 'Ik wil naar huis.'

Ze keek om zich heen alsof ze zich afvroeg waar dat was. 'Het is hier donker,' murmelde ze en zuchtte diep.

Mees sloeg zijn arm om Tosca's schouders.

'Ik breng je wel thuis,' zei hij. 'Kun je achterop?'

'Natuurlijk kan ik achterop.' Ze liet een vreemd lachje horen.

Mees keerde zijn fiets en Tosca ging op de bagagedrager zitten. Maar ze was nog zo slap, dat Mees bang was dat ze eraf zou vallen. Hij boog zijn arm zo goed en zo kwaad als het ging naar achteren, om haar heen. Ze leunde zwaar tegen hem aan en algauw voelde hij dat hij kramp kreeg.

'Even stoppen,' zei hij op de brug, terwijl hij zijn voet aan de grond zette. Hij wilde van arm wisselen, maar ineens sprong Tosca van de fiets. Ze keek om zich heen.

'Ik weet waar we zijn,' zei ze.

'Dat is mooi,' zei Mees. Hij schudde met zijn lamme arm.

'Ik ga zelf wel verder. Ik wil niet dat je me thuisbrengt.' Tosca begon te lopen.

78

Verbaasd keek hij haar na. Hij zette zijn voet weer op de trappers. 'Nee, Tosca, ik ga met je mee. Ik laat je niet alleen gaan.'

Tosca draaide zich naar hem om. 'Nee, ik kan het zelf.' Er was een nieuwe blik in haar ogen die hij nog niet eerder had gezien.

'Ja,' zei Mees geduldig. 'Je kunt het ook wel zelf, maar ik wil zeker weten dat je veilig thuiskomt.'

'En ik wil zélf naar huis.' Het klonk ronduit vijandig. 'Ik heb niks met jou te maken.'

Mees fronste zijn wenkbrauwen. 'Ik wil je helpen, Tosca. Wat is er met je gebeurd?'

'Ga weg!' riep Tosca en ze begon te hollen.

Mees fietste haar achterna.

'Nee, ga weg!' gilde ze.

'Tosca, zeg me dan waar je woont. Dan kom ik morgen langs.'

'Nee!' gilde ze steeds harder. 'Ga weg! Ik wil je niet zien!'

Ze liep te snel en struikelde bijna. Mees bleef achter haar aan fietsen.

Tosca riep over haar schouder: 'Ik ga gillen, hoor, dat je me wilt aanranden.' Het klonk paniekerig.

Ze gilde al. Er waren al mensen die naar hen keken. Had hij een keus?

Hij moest haar laten gaan. Hij keek haar na en zette de achtervolging weer in toen zij de hoek om was. Toen fietste hij snel naar de straat die zij in was geslagen. Maar hij zag haar niet. Ze leek verdwenen. Was ze al thuis? Was ze een nieuwe hoek om geheld? Er waren hier zo veel straten... Wel een half uur lang fietste hij door de buurt.

Maar ze was weg. Er zat niks anders op: als een geslagen hond fietste hij uiteindelijk naar zijn eigen huis. Nu had hij nog haar adres of telefoonnummer niet. Hij was een idioot.

DEEL 2

HET VERHAAL VAN TOSCA

II

'Heb jij het echt gedaan?'

'Met Rick?'

'Dé Rick?'

Haar vriendinnen stonden in een kringetje om Tosca heen. Ze waren een eindje gaan lopen, het schoolplein af en op hun gemakje de laan met bomen een eindje in, die van school naar het centrum leidde. Drie lesuren lang had Tosca gezwegen, terwijl het verhaal op haar lippen brandde. Nu kon ze eindelijk alles vertellen.

Mijkes gezicht was een en al verbazing. 'Is dat heus waar?'

'Sta je echt niet te liegen?' vroeg Nanet ook voor de zekerheid.

'Of zit je wat te fantaseren,' zei Esther. 'Dat hoor je wel eens; dan zijn je wensdromen zo sterk dat je net doet of het waar is.'

Ze hadden zoals altijd gearmd gelopen, maar nu hadden ze Tosca losgelaten.

Maandagochtend vijf over elf, dacht Tosca, en nu al warm. Maar evengoed voelde ze een rilling langs haar wervelkolom omhoog kruipen.

Mijke had de twee anderen gisteren ingelicht dat Tosca naar een concert van Rick was geweest. Zij had zondagochtend al aan de telefoon gehangen. Maar Tosca had zich niet lekker gevoeld en het kort gehouden. Dus zodra ze vanmorgen het eerste uur de klas binnenkwam, moest ze vertellen. Niet alleen de drie vriendinnen, de hele klas hing aan haar lippen. Ze zag zichzelf groeien in de ogen van de anderen. Geweldig was dat! Zij, Tosca, had iets bijzonders meegemaakt! Ze had niet alleen zomaar een concert bezocht, ze had mee mogen doen! Met ingang van nu wás ze iemand! De leraar Frans had hen slechts met moeite zover gekregen dat ze gingen zitten, zodat hij met de les kon beginnen.

En nu had ze ook de rest van het verhaal verteld.

'Hoe kan het dat je zomaar contact kreeg met Rick?'

'Ben je met hem mee naar huis gegaan?'

'Zo iemand is toch onbereikbaar?'

Tosca hoorde het ongeloof in hun vragen. Dat kon ze zich wel voorstellen. Als een van hen met zo'n fantastisch verhaal kwam, zou ze het ook niet zonder meer aannemen.

Ze vergaten verder te lopen. In het gefilterde licht onder de bomen vertelde Tosca nog een keer hoe Rick haar het podium op had getrokken.

'Hij had aldoor al naar mij gekeken tijdens de nummers daarvoor en toen ik daar zat, was het net of hij alleen voor mij zong. We zaten dicht bij elkaar, hij hield mijn hand vast en maakte van deze bewegingen met zijn arm...' Tosca deed voor bij Mijke hoe hij haar net niet had gestreeld, maar wel de suggestie had opgeroepen, omdat dat nu eenmaal bij het lied hoorde.

'Maar hij raakte me natuurlijk niet echt aan,' zei ze. 'Maar hij kéék zo...'

84

'Hoe?' wilde Esther weten.

'Nou ja, hoe zal ik het zeggen. Ja, verliefd, of hij het echt meende.'

Nanet snoof. 'Dat kan toch niet.'

'En toen?' vroeg Mijke.

'Nou, toen *Love you* uit was, bedankte hij me met een kus op mijn wang.'

Esther zuchtte. 'Geweldig.'

'En na het concert ging ik gewoon tussen al die andere meiden op een handtekening staan wachten. Toen ik aan de beurt was, hield ik hem mijn boekje voor en vroeg om twee handtekeningen, ook een voor mijn zusje. Hij maakte een grapje dat ze niet zo goed waren gelukt. Ik zei dat hij mooi gezongen had en toen zei hij dat ik leuk mee had gedaan en dat ik heel mooi was. En toen vroeg hij of ik wat wilde drinken.'

Tosca keek haar vriendinnen uitdagend aan. 'Hij riep naar Hassan – je weet wel, de drummer, die er ook bij was – dat hij niet verderging met handtekeningen uitdelen. Die zorgde er toen voor dat er ruimte was om backstage te gaan.'

'Om wat te gaan?' vroeg Esther.

'Naar achteren, achter het toneel. Daar zijn de kleedkamers. We zijn naar de kleedkamer van Rick gegaan.'

'Echt?' Dat was Mijke.

Nanet kneep haar ogen tot spleetjes. 'En dat moeten wij geloven?'

'Waarom niet? Het is echt zo gegaan, hoor!' Tosca keek van Nanet naar Mijke, die ook al zo'n wantrouwende blik in haar ogen had.

Esther vroeg: 'En toen?'

'Nou, we hebben een pilsje gedronken...'

'En je houdt helemaal niet van bier!' riep Nanet triomfantelijk. Ze stootte Mijke aan, alsof ze wilde zeggen: zie je wel.

'Hij had niks anders,' zei Tosca. 'Ik had wel eens een slokje geprobeerd, en dat vond ik vies, maar nu viel het best mee.'

'En jullie waren samen?' vroeg Esther.

'Ja, en toen begon hij met me te vrijen.'

'Rick?'

'Ja, wie anders?' Het irriteerde Tosca dat ze haar verhaal nog steeds niet wilden geloven. 'En toen hebben we het gedaan.'

Drie paar ogen keken haar aan en Tosca probeerde in te schatten wat hun blik betekende.

Esther wreef over de zijkant van haar neus. 'Stond daar een bed, dan?'

Tosca schoot in een bevrijdende lach. 'In de kleedkamer? Nee, natuurlijk niet. Maar je kunt het ook op een stoel doen.' Ze blikte even omhoog, naar het lichtgroene bladerdak boven hun hoofd.

'En ben je ook verliefd op hem?' wilde Mijke weten.

'Ik, ik...' stotterde Tosca ineens. 'Ja, ik...'

Maar Nanet had ook haar volgende vraag al klaar: 'Hebben jullie nu iets met elkaar?'

Mijke deelde een elleboogstoot uit. 'Hij hééft al een vriendin.'

'Nee,' zei Tosca. 'Het was uit.'

'Ben jij dan nu z'n nieuwe vriendin?' vroeg Esther.

'Nee. Hij zei dat hij me erg mooi en lief vond, maar hij wilde geen nieuwe relatie.'

'O,' zeiden Nanet en Esther tegelijk.

'Dat heeft nog niet in de *Hitkrant* gestaan,' riep Mijke. 'Dat het uit is, bedoel ik.'

'En ook niet in de *Break Out!*,' vulde Nanet aan.

'Hij heeft geen tijd voor een vriendin,' zei Tosca. 'Daarom was het ook uit. Hij treedt op door het hele land. Hij is bijna nooit thuis en woont hier tweehonderd kilometer vandaan.'

'Zou hij het met meer meiden doen?' vroeg Nanet ineens. 'Overal waar hij maar een concert geeft?'

'Nee!' Tosca ging er bijna van schreeuwen. 'Hij deed dat anders nooit, zei hij. Hij wist ook niet precies wat hem overkwam. Hij zag mij, zei hij, en… en… Hij viel voor mij. En hij zei dus direct dat hij niks met me kon beginnen. Toch wilde ik het zelf ook. Het was een heel mooie avond. Het was mijn eerste keer. Het was een ervaring die gewoon goed was. Meer hoefde voor mij ook niet.'

'Ja, ja, dat zal wel…'

'Beetje onwaarschijnlijk verhaal, Tos.'

Ze stonden nog steeds in de schaduw van de bomen en hadden geen stap meer verzet. Achter hen lag de school te blakeren in de voorjaarszon. Tosca zweette. Geloofden ze haar nog steeds niet? Een jaloerse reactie had ze wel verwacht, maar dit niet!

'Je hebt het toch wel veilig gedaan?' zei Mijke. 'Als hij het met meer meiden doet…'

'Dat doet hij dus niet…' verdedigde Tosca hem.

'Weet jij veel of hij de waarheid spreekt,' hield Mijke vol.

'Dan heb jij je wel mooi laten gebruiken...' zei Nanet en ze liet dramatisch haar stem dalen.

Ook Esther had haar oordeel klaar. 'Dus je bent met iemand naar bed geweest terwijl je niet van hem houdt.'

'Valt me een beetje van je tegen, Tos, dat je je zo gemakkelijk laat verleiden,' zei Mijke.

'Ja, maar door Ríck,' riep Esther uit.

'Maakt niet uit,' zei Mijke. 'Tot dat moment kende je hem niet.'

'Wel,' zei Tosca koppig.

'Niet persoonlijk.'

Tosca keek van Mijke naar de anderen. Ze dacht na. Toen zei ze: 'Mijke, vorige week zei je nog heel wat anders. Toen we met die checklist bezig waren, je weet wel, of je eraan toe bent, toen zei je... Eh... Nee, eerst zei Esther dat je met iemand naar bed gaat omdat je van hem houdt.'

'Precies,' zei Mijke.

'Ja, nee, maar jij zei toen: "Of omdat je seks wilt".'

'Zei ik dat?' Mijke keek de andere twee aan. 'Weet ik niet meer zo precies, hoor. Ik kan het me haast niet voorstellen.'

'Dat is toch ook een goede reden om met iemand naar bed te gaan, gewoon omdat je er zin in hebt?!' Tosca begreep er niets van. Vorige week waren ze het nog helemaal met elkaar eens. Wat deden ze nu ineens moeilijk. Jaloers, ze waren vast jaloers, ze kon er niks anders van maken.

'Er was op dat moment echt iets tussen ons,' herhaalde ze met klem.

In de verte klonk de bel. Toen ze terug naar school liepen, fluisterde Mijke in Tosca's oor: 'Je hébt het toch wel veilig gedaan?!'

'Ja, natuurlijk, ik ben niet achterlijk,' siste Tosca. Verder weigerde ze nog iets te zeggen.

12

Ook haar vriendinnen deden er het zwijgen toe toen ze naast elkaar het schoolplein weer op liepen. Het gekwetter van al die andere scholieren deed Tosca bijna pijn aan haar oren, en de drukte en het dringen van de brugklassers op de gang ergerde haar. Met opeengeklemde kaken liet ze zich naast Mijke op haar plaats zakken voor de volgende les. Ze geloven me niet, dacht Tosca. Dat had ze nog nooit meegemaakt, al snapte ze best dat ze aan het verhaal moesten wennen.

Tosca probeerde zich op de les van Grote Beer te concentreren, maar haar gedachten schoten aldoor weg naar Rick. De onrust die ze vanmorgen ook al met zich mee had gedragen, was alleen nog maar groter geworden. Stel nou dat Mijke met zo'n verhaal kwam aanzetten, hoe zou zij dan reageren? Het was moeilijk daar een eerlijk antwoord op te geven. Ze kon ook niks bewijzen natuurlijk, ze had moeilijk Rick kunnen vragen om iets op papier te zetten of zo. Iets van: 'Het is echt waar', of: 'Als herinnering aan een fijne avond'.

Meneer Beersma, die zijn bijnaam niet voor niets droeg, beende met zware stappen heen en weer. Tosca volgde hem met haar blik. Die man zat nooit rustig achter zijn bureau, die ijsbeerde altijd door de klas. Ze ergerde zich ineens mateloos aan dat storende geloop.

Het was vreemd om gewoon weer in de klas te zitten na alles wat er gebeurd was. Raar ook dat alles gewoon verderging: de sommen, de bespreking ervan, het protest toen Grote Beer de stof voor het proefwerk opgaf. 'Veel te veel, meneer!' Ze vonden het altijd te veel.

Tosca keek over haar schouder naar achteren, naar de rij bij het raam waar Caro en Alexa zaten. Nu hoorde zij er ook bij. Alleen wist nog niemand het.

Na wiskunde hadden ze Engels en daarna was het middagpauze. En al die tijd hing er iets tussen Tosca en haar vriendinnen in. Ze was dan ook niet verbaasd dat ze zich met zijn drieën uit de voeten maakten na de les. Maar leuk was anders… Zodra ze naar het toilet was geweest, zou ze hen gaan zoeken.

Tosca liep de meisjes-wc in en ging plassen. Tijdens het handen wassen zag ze haar spiegelbeeld. Met haar vingertoppen raakte ze even de schaafwond op haar linkerslaap aan. Gek dat ze zich niet kon herinneren hoe ze daaraan was gekomen. Ook op haar onderarm zat een schaafplek.

Toen ging ze op zoek naar haar vriendinnen. Voor de zekerheid nam ze een kijkje in de kantine en daarna liep ze het plein op, dat ze kriskras overstak. Ze vond hen op het veldje naast de school.

Tosca besloot dat de aanval de beste verdediging was. 'Waarom gaan jullie er nu stiekem zonder mij vandoor?'

Ze schrokken op, zag Tosca. Net goed, dacht ze.

Mijke deed het woord. 'Omdat we iets moesten bespreken.'

'Even zonder jou,' voegde Nanet eraan toe.

'Niet om je buiten te sluiten, hoor,' zei Esther.

'Maar we wilden ons standpunt bepalen,' zei Nanet weer.

Tosca verplaatste haar gewicht en stond nu wijdbeens voor haar vriendinnen. Ze begreep dat er een oordeel geveld zou worden.

Mijke keek Tosca aan, onzeker. 'Het spijt ons,' zei ze. Het bleef even stil. Toen zei Nanet: 'Maar we geloven je verhaal niet.'

'Zo'n verhaal kunnen we toch niet serieus nemen?!' Esthers stem zweefde tussen een vraag en een bewering.

Tosca voelde zich koud worden, ondanks de zon die op haar rug brandde. Dit was pas ongelooflijk!

'O,' wist ze eruit te persen, 'en waarom niet, als ik vragen mag?'

'Het is té fantastisch,' vond Mijke.

'Het lijkt wel aandachttrekkerij,' zei Nanet.

'Je wilt het kennelijk zo graag meemaken,' zei Mijke.

'Nadat we erover praatten vrijdagmiddag...' klonk Esthers aarzelende stem. 'Je wou wel erg graag en nu ineens heb je het gedaan...'

Nanet zei: 'Dus wij denken dat je het hebt verzonnen...'

Mijke keek haar vol medelijden aan. 'Dat je je tot zóiets verlaagt...'

Tosca hapte naar adem. Ze wilde weglopen van dit kinderachtige gedoe, maar stond als aan de grond genageld. Zo voelde dat dus...

'Maar eh...' zei Esther. 'We blijven verder gewoon je vriendin, hoor. Maar we wilden je dit wel even zeggen.'

'Nou, van je vriendinnen moet je het hebben!' barstte Tosca uit. 'Ik vertel jullie nooit meer wat!' Nu kon ze zich

omdraaien. 'Pff!' Kwaad liep ze weg. Nu was het niet de
zon, maar hun blikken die ze in haar rug voelde branden.

'Is het niet beter dat je gewoon toegeeft dat het niet waar
is?' zei Mijke 's middags op de fiets.
Net als anders fietsten ze samen naar huis, een tocht van
een half uur door de polder en langs de vaart. Tosca was
kwaad, maar niet zó kwaad dat ze alleen naar huis fietste.
En kwaad... dat was misschien het goede woord niet. Teleurgesteld kwam meer in de richting.
'Ik bedoel,' ging Mijke verder, 'dat hij je op het podium heeft toegezongen, zal best waar zijn. Dat is een on-
derdeel van zijn show, dat doet hij natuurlijk overal. Dat
lied vraagt daar ook om, natuurlijk. Met hem praten of
een beetje zoenen zou ook nog kunnen. Maar dat je met
hem naar béd bent geweest...'
Tosca reageerde niet. Ze wist gewoon niet hoe ze Mijke ervan kon overtuigen dat het wáár was allemaal. Het
was zo jammer dat ze haar niet geloofden.
Mijke haalde haar schouders op. 'Dan niet.'
Ze waren elk een kilometer lang met hun eigen gedachten bezig. Het was al druk op de vaart, zag Tosca.
Het zag er aanlokkelijk uit, om nu op zo'n plezierjacht te
zitten. Gewoon in de zon zitten en je mee laten voeren.
'Jullie zijn gewoon jaloers,' zei ze uiteindelijk.
'Natuurlijk niet!' Mijke snoof. 'Ik hoef zoiets niet mee
te maken, hoor. Ja, een concert wel! Ik baalde niet voor
niks ontzettend dat ik niet mee mocht. En als je uitgekozen wordt om op het podium te komen en iedereen ziet
je... Geweldig, echt waar! En zo iemand van dichtbij zien

en een handtekening krijgen, wie wil dat nou niet? Maar meer niet, hoor, echt niet.' Weer maakte ze dat snuivende geluid, alsof ze verkouden was. 'Ik zou ook best graag met iemand naar bed willen, maar dan wel met iemand van wie ik houd... Met wie ik iets heb. En die er daarna ook nog is...'

'Vrijdag zei je nog wat anders, hoor, ik weet het zeker,' zei Tosca. 'Je zei echt dat je niet per se verkering nodig had om met iemand naar bed te kunnen gaan. En toen zei Esther dat ze vond dat je wél van hem moest houden...'

Tosca zweeg. Ze bedacht zich ineens dat zijzelf toen had gedacht dat Esther gelijk had. Dat zei ze nu tegen Mijke.

'Als jij in een weekend van gedachten kan veranderen,' reageerde die, 'dan kan ik het ook.'

Tosca zuchtte. Ze zag zijn gezicht voor zich, zijn donkere haar dat niet meer strak naar achteren zat, maar warrig op zijn hoofd krulde. En het glanzen van de blauwe ogen, zijn zwarte wenkbrauwen erboven en de dunne lippen die zo verrassend zacht waren toen hij ze op die van haar drukte. De golf van opwinding die toen over hen heen was gespoeld. Er waren geen woorden nodig geweest. Het verlangen van zaterdag, ze voelde het weer opkomen. Ze zei: 'We zijn toch allemaal een beetje verliefd op Rick?'

'Maar dat betekent toch niet dat je het ook met hem wilt doen?!' gaf Mijke terug.

Laat ook maar, dacht Tosca.

Ze kletsten nog wat over de lessen en het huiswerk en toen waren ze op de hoek waar Mijke afsloeg.

Tosca stak haar hand op. 'Morgen proefwerk Nederlands, hè? Nou, leer ze, de mazzel.'

13

Anna was al thuis en kwam direct op haar af. 'En? Heb je het verteld? Wat zeiden ze op school? Is iedereen nu stinkjaloers? Dat waren ze al op mij, dat ik een handtekening had!' Ze struikelde bijna over haar woorden en haar gezicht was rood van opwinding. Of van de warmte natuurlijk.

Tosca liet haar rugzak met een plof op de grond zakken en glimlachte. 'Ja, natuurlijk heb ik het verteld. Superjaloers waren ze, wat dacht je dan?'

Ze deed de koelkast open en schonk zichzelf een groot glas sap in dat ze in één keer leegdronk. Daarna beschreef ze hoe de klas om haar heen had gestaan toen ze over het concert en haar rol daarin vertelde. Toen liep ze de keuken uit, een paar passen de tuin in, waar haar moeder op haar knieën in de moestuin zat. Tosca riep haar toe: 'Ik ben thuis!'

Haar moeder keek op en zwaaide. Tosca zag dat ze zwarte handen had van de modder. Haar moeder zat altijd met haar handen in de aarde te wroeten. Zij had een heel overzichtelijk leven, zei ze altijd: 's ochtends op kantoor en 's middags in de tuin. Toen haar ouders gingen scheiden was het geen verrassing voor Tosca geweest dat haar moeder in dit huis bleef wonen en hun vader naar de stad verhuisde. Hij had het nooit echt naar zijn zin gehad in het dorp, wist Tosca. Waarschijnlijk had hij het ook nooit echt naar zijn zin gehad bij haar moeder, bedacht ze ineens. Haar vader was veel avontuurlijker en impulsiever, hij zou stikken in een baan met regelmatige werktijden. Zij leek meer op haar vader dan op haar moeder en later wilde ze ook naar de stad verhuizen. Dat wist ze nu al.

Ze liep naar binnen, nam nog een glas sap en pakte haar rugzak weer op. Haar vader had gelukkig niks tegen haar moeder gezegd. Hij is echt een schat, dacht ze. Tosca liep door naar boven, naar haar kamer, waar het lekker koel was. Ze had een hoop huiswerk, maar ook een heleboel waarover nagedacht moest worden.

Ze ging achter haar bureau zitten en legde haar schoolboeken erop, Nederlands sloeg ze vast open op de juiste bladzijde. Daarna deed ze haar installatie aan, met muziek van Brainwave natuurlijk.

Gisteren had ze niks anders gedaan dan op haar bed naar Ricks stem luisteren. Wat had ze zich beroerd gevoeld! Ze had veel te veel gedronken, of het bier was niet goed gevallen. Hoeveel had ze er gehad? Ze wist het niet eens. Ze wist alleen dat Rick in een behoorlijk tempo een paar biertjes achterover had geslagen en dat zij niet kinderachtig wilde overkomen.

Ineens dacht Tosca aan iets wat haar vader had gezegd over alcohol en je geheugen. Het maakte haar koud van schrik. Zou het kunnen dat haar vriendinnen dan toch gelijk hadden: waren haar herinneringen wel echt? Of had ze de verkeerde beelden in haar hoofd geprent door de drank?

Nee toch zeker, dat kan toch niet?! Ze wás uitverkoren,

ze wás door Rick gevraagd. Weer ging ze alles na: het praten en het zoenen, het vrijen in die kleedkamer op de twee stoelen die dicht tegen elkaar aan waren geschoven. Ze wist het zeker. Ze zag het nog zo duidelijk voor zich.

Maar dronken was ze wel geweest. Haar vader was daar meer van geschrokken dan van het feit dat ze alleen naar huis was komen lopen. Hoe laat het was, wist ze niet, maar hij had op haar gewacht. Ze had haar sleutel niet in het slot van de deur kunnen krijgen, dat wil zeggen: ze was nog bezig met die lastige klus toen hij ineens de deur opentrok.

'Tosca, ben je daar eindelijk!' had hij uitgeroepen.

Tosca wankelde, zo schrok ze.

'Ja, hoezo?' vroeg ze. Ze stak haar armen uit, omdat ze dacht dat de deurpost omver zou kunnen vallen. Die moest ze tegenhouden! Maar in plaats van de deurpost waren daar haar vaders armen. Dat voelde prettig, dat gaf steun. Ze was moe, zó moe, en haar eigen benen leken niet sterk genoeg meer om haar te kunnen dragen. En haar maag...

'Het is bijna twee uur! Meid, ik ben zó ongerust geweest. Je had allang thuis moeten zijn! Ik ben naar De Swing gegaan om je te zoeken, maar daar zag ik je niet. Waar wás je?'

Tosca had moeite om hem te volgen. Wat vroeg hij nu precies? O ja, waar ze was...

'Bij... eh... bij De Swing... Een optreden van Bree... Bree...' Hoe heetten ze ook alweer? Ze wist het wel, maar ze kon er even niet opkomen. Moest ze hier nog lang blijven staan, trouwens? Ze was niet lekker en ze moest nodig plassen... Ze wilde langs haar vader lopen, maar struikelde over zijn voet.

Weer waren er die stevige armen. Fijn, zo'n lieve vader...

'Ik moet plassen...' mompelde ze.

'Je hebt gedronken!' zei een stem boven haar hoofd. 'En niet zo'n beetje ook!'

Dwars door de mist kwam ineens een gezicht opdoemen. Niet dat van haar vader... Wie...? Ook niet van Rick... Rick... O, Rick! Waarom heb je me achtergelaten? Je zei toch dat je me leuk vond...?

Die armen van zonet duwden haar de trap op. Tosca voelde dat ze op bed werd gelegd. Iemand sjorde nog aan haar, maar waarom wist ze niet. Toen kon ze eindelijk wegzakken in een heerlijk niets...

In het donker werd ze wakker. Ze moest verschrikkelijk nodig plassen. Het kostte moeite overeind te komen. Haar hoofd bonkte en voelde aan of het twee keer zo zwaar was als anders. Ze sloot haar ogen, haar maag golfde en golfde...

Ze haalde het net. Maar dan ook alleen omdat de wc zich pal tegenover haar kamerdeur bevond. God, wat voelde ze zich ellendig. Toch kwam er niet veel uit. Ineens wist ze ook weer waarom. In de steeg aan de achterkant van De Swing, toen had ze ook al gekotst. Ze veegde met een wc–papiertje de tranen uit haar ogen en spoelde onder het kraantje haar mond schoon. Het duizelde haar toen ze opstond. Nu nog plassen... En weer terug naar bed... Slapen... Heel erg lang en verschrikkelijk veel slapen. Weg van...

98

Toen ze opnieuw wakker werd, stond haar vader naast haar bed met een dienblad in zijn handen. Hij boog zich voorover en zette het naast haar neer op het nachtkastje. Er stond een kopje thee op en een beschuitje met suiker.

'Hoe is het met je?' vroeg haar vader.

Ja, hoe was het met haar? Daar moest ze over nadenken. En dat denken ging nog niet zo snel. Haar maag was redelijk in orde, maar om nou te zeggen dat ze zich fit voelde... En ze had koppijn. Ook haar spieren deden zeer, merkte ze, toen ze zich voorzichtig op haar ellebogen optrok om half te kunnen zitten. Dorst had ze ook, dus die thee leek wel lekker. Die beschuit kon ze beter nog even laten staan...

'Nog een beetje... eh... beroerd,' probeerde ze uit te leggen.

Haar vader aaide haar over haar hoofd. Hij vroeg niet verder en liet haar alleen zodat ze in alle rust haar thee kon opdrinken.

Daarna moest ze toch weer in slaap zijn gevallen. Anna kwam ineens binnen met de telefoon in haar handen: Mijke. Ze gaf korte antwoorden en verbrak al snel de verbinding. Daarna at ze het beschuitje op en vervolgens ging ze naar de wc. Het was al drie uur, zag ze op haar wekker, maar omdat ze zich nog steeds wiebel voelde, dook ze met haar MP3-speler opnieuw haar bed in. Ze had niet het gevoel dat ze de wereld al aankon.

Anna kwam haar opnieuw storen. 'Heb je zijn handtekening?'

'Kun je niet kloppen?' mopperde Tosca.

'Ja, sorry,' en Anna klopte alsnog. 'Hoe was het?'

'Leuk,' zei Tosca en kwam half overeind. Waar was haar opschrijfboekje met de handtekeningen? 'Ik heb ze in mijn tas zitten, maar waar die is…'

'Dat weet ik wel,' zei Anna, 'die hangt beneden aan de kapstok.'

Gelukkig. Tosca deed haar ogen dicht. 'Het was heel bijzonder,' zei ze en deed haar ogen weer open. 'Maar ik vertel je later wel meer, oké? Ik ben een beetje ziek.'

'Was je dronken?' zei Anna vol bewondering.

'Wie zegt dat?'

'Papa.'

'O, nou ja, zoiets. Donder nu eerst maar op.'

'Dank je wel voor de handtekening.' Gelukkig verdween Anna toen. Een tijd luisterde Tosca naar Brainwave, toen kwam haar vader weer boven.

'Zo, je kijkt weer helder uit je ogen. Dat was gisteravond wel anders. Mag ik er even bij komen zitten?'

'Daar ontkom ik niet aan, zeker?' vroeg Tosca, die een eindje opzijschoof.

Haar vader ging op de rand van haar bed zitten en schudde zijn hoofd. 'Ik moet even kwijt dat ik erg ongerust was. We hadden afgesproken dat je zou bellen na afloop van het concert en…'

'Ja, ik weet het…'

Hij zweeg. Tosca ook.

'Krijg ik nog een verklaring te horen?' zei hij uiteindelijk.

Ze haalde haar schouders op. 'Ik heb biertjes zitten drinken met iemand die ik ontmoet heb.'

Haar vader haalde zijn wenkbrauwen op. 'Zo, jij hebt

biertjes zitten drinken. Heel veel biertjes. Waar? Dáár?'

'Eerst wel, daarna zijn we wat door de stad gaan lopen.'

'En wist je nog wat je deed?'

'Natuurlijk!'

'Dan had je ook kunnen bedenken dat ik me ongerust maakte. Je hebt niet gebeld dat je later kwam of zo. Je wist dus níét meer wat je deed.'

Typische vader-logica, dacht Tosca opstandig. 'Ik kan heus wel op mezelf passen,' zei ze.

'Dat zal best, maar we hadden een afspraak waar je je niet aan hebt gehouden. Ik was boos, maar nog meer ongerust.'

Wat moest ze daar nu op zeggen?

'Heeft hij je thuisgebracht?'

En wat zou ze hierop antwoorden? Tosca koos de gemakkelijkste weg: 'Ja.'

'En dan nog wat,' ging hij verder, 'zo veel drank is niet goed. Niet goed voor je lichaam, niet goed voor de groei van je hersens. Je reactiesnelheid vermindert, dus je bent een gevaar op de weg. Je overschat jezelf, je wordt erg emotioneel. Je kunt heel gemakkelijk iets doen waar je later spijt van krijgt. Als je nog weet wat je hebt gedaan tenminste, want je geheugen wordt er onder alcoholische omstandigheden ook niet beter op.'

'Maar mijn hersens zijn nou toch wel een keer volgroeid?' zei Tosca.

'Ik mag hopen dat je nog wat verstandiger wordt,' zei hij terwijl hij haar strak aankeek.

Tosca wachtte af wat er nog meer zou komen, maar hij aaide over haar hoofd. 'Nou, je kent nu de gevolgen van te veel drank. Ik hoop dat je je lesje geleerd hebt.' Hij stond op. 'Zorg dat je beter bent vanavond. Heb je zin in een boterham?'

Dat had ze. 'Pap!' hield Tosca hem tegen. 'Zeg je niks tegen mama?'

Bij de deur draaide hij zich om. Tosca zag hem aarzelen. 'Please!' smeekte ze.

Hij had inderdaad woord gehouden. Haar moeder wist van niks. Die zou wel eens heel anders kunnen reageren en Tosca had geen zin dat te ondervinden.

Ze zuchtte en keek op van haar Nederlandse boek waar ze niet in gelezen had. De herinneringen aan zaterdagavond en zondag bleven haar steeds achtervolgen. Toen ze in de trein stapte, op weg naar haar moeder, was ze gelukkig weer opgeknapt. De muziek van Rick in haar oren riep prettige herinneringen op die haar warm en gelukkig vanbinnen maakten. Maar ook...

Nu pas dacht ze aan hém terug. De jongen van de kaartjes. De jongen met de Pringles. De jongen met de bruine ogen.

Ze wist wel dat ze iets vergeten was.

Ze had hem niet betaald. Ze had hem niet eens bedankt!

Van leren kwam niet veel meer deze middag.

14

Toen Tosca de volgende ochtend het eerste lesuur op het nippertje het Engelse lokaal binnenstapte, voelde ze het al: er werd over haar gepraat. Want waarom zou er anders zo'n plotselinge stilte vallen? Het viel haar het tweede uur ook op, toen er een constant gemurmel door het studiehuis trok dat verstomde zodra zij in de buurt was. Er werd gepraat en dan naar haar gekeken. Vol bewondering, stelde ze tevreden vast.

Pas in de pauze durfden ze het openlijk te vragen: 'Heb jij het gedaan met Rick van Brainwave?' Ze stonden samen in het meisjestoilet tegenover haar: Caro en Alexa.

Tosca keek hen uitdagend aan. 'Ja.'

'Dus het is waar.'

'Ja.'

'Hoe was het?'

'Nou, geweldig natuurlijk. Hij is heel leuk, helemaal niet arrogant of zo. Het was heel gezellig ook. Hij deed erg lief.'

'Maar hij heeft een vriendin?!'

'Nee, het is uit.'

'Dat hebben we niet gelezen.'

'Het is nog maar net uit.'

Daarna liep Tosca naar de kantine om iets lekkers te kopen, maar ze werd tegengehouden door Marlieke uit haar klas.

'Hé, Tosca, is het waar wat ze zeggen?' vroeg ze.

'Wie zegt wat?' vroeg Tosca op haar beurt.

'Nou, ja, ze zeggen allemaal dat jij verkering hebt met Rick van Brainwave.'

'Verkering is een groot woord,' zei Tosca.

In de gang op weg naar het volgende leslokaal draaiden mensen hun hoofden naar haar om.

'Dat is die Tosca, je weet wel,' hoorde Tosca heel duidelijk. Kennelijk was het nieuwtje als een lopend vuurtje door de school gegaan. Dat had ze kunnen verwachten.

Vond ze het erg? Nee, natuurlijk niet. Ze had nu wat afegelopen vrijdag nog onbereikbaar leek: respect. Ze was iemand! Er werd tegen haar opgekeken!

En toch voelde het ergens ook niet goed.

Ze ging zoals anders naast Mijke zitten. Ze had haar vriendinnen altijd alles kunnen vertellen, zonder dat zij het doorbriefden. Nu wist dus de hele school het. Ze vroeg Mijke ernaar.

Die zei: 'Je hebt het zelf aan Caro en Alexa verteld.'

'Ja, maar die moeten het toch van iemand gehoord hebben?'

'Je begon al in de klas, hoor, op maandagochtend met je opschepperij. Je wilde dat iedereen het hoorde over die zoen op je wang. En Alexa en Caro zagen ons gisteren terugkomen in de kleine pauze. Toen vroegen ze of jij meer aan ons had verteld dan daarvoor in de klas.'

Tosca zag wel dat Mijke zich ongemakkelijk voelde onder deze bekentenis. Het was dus ook een logische conclusie: 'En jullie hebben daar antwoord op gegeven.'

Daarna zwegen ze allebei. En niet alleen omdat de les begon.

In de middagpauze liep Tosca in haar eentje naar buiten om haar Nederlands over te kijken. Een tweedeklasser sprak haar aan.

'Maar je hebt geen verkering met hem?' vroeg hij toen.

'Dat zegt Anna.'

Ook dat nog. Maar Anna wist van niks. Niks méér dan van het concert.

'Nee, geen verkering,' zei ze.

'Maar hoe kan dat dan?'

'Ja, nou, gewoon, voor één keer, dat kan, hoor,' zei ze en keek demonstratief weer in haar boek. Einde gesprek.

Nog een paar keer werd ze aangesproken of het waar was wat er gezegd werd, zelfs door mensen die zij niet kende.

'Ik geloof er niks van,' zei een meisje uit de vijfde.

Tosca haalde haar schouders op. 'Dan geloof je het toch niet.'

Na de pauze glipte ze het Nederlands-lokaal in, waar meneer Weijers al klaarstond met de proefwerken in zijn hand. Even rust, dacht Tosca. Even geen vragen. Nou ja, alleen vragen over een literair verhaal. Een verzonnen verhaal, iets wat niet echt was gebeurd. Weijers deelde de proefwerken uit en een stille rust daalde in de klas neer.

Vrijdagmiddag, toen had ze ook zoiets gedacht, over verzonnen en echt. Vertelde Weijers maar echte verhalen, had ze toen gedacht. Wat leek dát lang geleden. Zij had nu ook een verhaal te vertellen. Over háár eerste keer. Ze zou het vanmiddag toch maar aan Anna gaan vertellen, dat was ze haar zusje nu wel verplicht.

Ze las het verhaal in drukletters zonder te snappen waar het over ging. Ze probeerde het nog een keer, terwijl om haar heen al geschreven werd. Ze moesten het verhaal analyseren, maar zij was nog helemaal niet klaar met analyseren wat er nu precies zaterdagavond gebeurd was. Ze zou zich blij moeten voelen, maar ze voelde zich niet blij. Als ze de tijd kon terugdraaien, zou ze het dan weer doen? Je had maar één eerste keer...

De volgende dag kon Tosca nergens meer door de school lopen of ze werd geconfronteerd met haar liefde voor Rick.

'Te gek, zeg, slapen met een beroemdheid! Hoe heb je dat voor elkaar gekregen?' vroeg een vierdeklasser.

'Mag ik jouw handtekening?' zei zijn maat naast hem en barstte in lachen uit.

'Is-ie in bed nou ook zo leuk?' wilde een nieuwsgierig meisje weten.

'Tjeetje zeg, dat zou ik ook wel willen...' zei een ander.

'Dus jij bent die meid die met iedereen de koffer in duikt,' hoorde ze een lange zesdeklasser boven haar hoofd zeggen.

'Nee, alleen met beroemdheden,' corrigeerde een nog langere slungel naast hem.

Iedereen scheen op de hoogte te zijn en, wat erger was, ze hadden er allemaal een mening over en vonden het nodig die aan haar mee te delen. Ze kwam van alles tegen, maar wat ze die middag op de deur van de meisjes-wc las, sloeg alles.

In het studiehuis was weer een geroezemoes te horen.

'Alleen omdat hij beroemd is,' hoorde Tosca zeggen, daarna iets onverstaanbaars en toen een uitbarsting van gelach. Twee meiden stonden op en gingen weg. Toen ze terugkwamen, knikten ze: 'Het staat er echt.'

In de loop van het uur gingen andere meiden ook naar de wc, opvallend meer dan anders.

Zou daar iets te zien zijn? Over haar natuurlijk, want er werd meteen naar haar gekeken zodra ze terug waren. Nou, dat hoefde ze dus niet te zien. Ineens ving ze het woord 'slet' op.

Tosca zuchtte. Ze wilde graag iets bijzonders hebben, ze wilde opvallen, maar of dit nu zo leuk was? Ze wás nu iemand, maar toen ze uiteindelijk haar nieuwsgierigheid niet langer kon bedwingen en zelf ook naar de meisjes-wc in de gang bij het studiehuis ging, vroeg ze zich af of ze toch niet liever anoniem had willen blijven.

TOSCA IS EEN SLET, stond er in blokletters geschreven.

Had ze dan moeten zeggen dat ze nu iets met Rick had? Ze kon er toch niet om gaan liegen...

Hoe moest het ooit weer gewoon worden? Gelukkig begon morgen de meivakantie: Koninginnedag en daarna anderhalve week geen school. Alleen leegte... Alleen maar herinneringen...

HET VERHAAL VAN MEES

15

Herinneringen bleven Mees achtervolgen in alles wat hij deed. Hij kon Tosca niet van zich afschudden, als hij dat al had gewild. Tosca was overal: op school, op zijn kamer, als hij sportte en in bed. Tosca was bij hem in alles wat hij deed, nu al drie dagen lang.

Hij was wel eerder verliefd geweest, maar dit was verschrikkelijk. Dit deed pijn. Hij wilde haar zien, maar het kon niet. Hij zou haar willen troosten, maar dat kon evenmin.

Steeds weer stond hij op van zijn bureau waar zijn opengeslagen Engelse boek lag, en liep doelloos door zijn kamer. Telkens hoorde hij haar weer schreeuwen: 'Ga weg! Ik wil je niet zien!' En dwars daardoorheen kwamen flarden gesprekken boven van die ochtend en die avond in de rij bij De Swing. Zoals ze hem had aangekeken... Zou hij ooit haar sprankelende verschijning terugzien? Haar krullen zien dansen? Haar lippen zien glimlachen? Haar ogen zien glimmen...?

Zou hij ooit weer met haar praten? Zou hij ooit te weten komen wat er precies was gebeurd die avond?! Mees kreunde. Hij wist niet wat erger was.

Hij dwong zichzelf terug naar zijn bureau en liet zich op zijn stoel zakken. Leren! Kom op! Hij boog zich over zijn grammatica en de Engelse teksten, die wel Arabisch of Chinees leken, zo onbegrijpelijk kwam alles hem voor.

108

Hop, aandacht erbij! Morgen proefwerk! Maar het leek zo onbelangrijk.

Terwijl het dat niet was. Hij wilde een goed cijfer halen, hij wilde altijd goede cijfers halen. Maar Tosca schoof er steeds tussen. Hoe zou het nu met haar zijn? Hoe dacht zij over hem? Zou ze zich schamen? Ze zal in ieder geval wel een flinke kater hebben gehad. Kon hij maar laten weten dat het hem niks uitmaakte dat zij over hem heen had gekotst. Zijn broek was gewassen en hij had zelf zijn schoenen schoongemaakt en gepoetst. Maar misschien dacht ze wel helemaal niet meer aan hem...

Vanuit zijn schooltas klonk een vrolijk melodietje. Mees sprong op. Nee, wonderen bestonden niet, dat wist hij best.

'Met Mees.'

'Hai, met Julia.'

Trouwe Julia, die zo lief met hem meeleefde. Ze had zondagavond ook al gebeld, toen hij weer thuis was bij zijn moeder, en gisteravond opnieuw.

'Hoe-ist?' vroeg ze nu.

'Rot. Ik heb een proefwerk Engels morgen, maar ik kan me absoluut niet concentreren.'

'Vervelend. Waar gaat het over?'

'Grammatica. Ik snap er niks van.' Hij zuchtte. 'Ik moet steeds aan haar denken. Ze was zó leuk, zó apart.'

'Ja, dat snap ik.'

'Zoals ze keek... Jij hebt het toch ook gezien? Het was toch echt zo? Of heb ik het gezien omdat ik het wílde zien?'

'Zij vond jou ook leuk, dat heb je niet verzonnen.'

'En toch ging ze met Rick mee. Wat heeft die jongen wat ik niet heb?'

'Mees, alsjeblieft!' riep Julia uit.

'Wat?'

'Ga niet zeggen dat je dat niet snapt.'

'Nou ja…'

'Die jongen is beroemd, hij is een idool. Jeetje, stel je voor, een zanger die uit duizend meisjes jóú uitkiest… Daar kunnen wij gewone mensen niet tegenop.'

'Die Rick is waarschijnlijk een enorme etter. Hij heeft haar gewoon weer gedumpt. Dat kan niet anders. Ze was zo zielig, zoals ze daar zat. Zo intens verdrietig.'

'Ja, dat heb je verteld. Maar misschien is zij een fladder, een flirt, een allemansvriendje?'

'Nee! Dat kan niet, daar is ze veel te goed voor!'

Julia maakte tsk-geluidjes met haar tong. 'Hoe weet je dat nou? Je kent haar helemaal niet. Je hebt haar een uur, anderhalf uur meegemaakt.'

'Lang genoeg,' zei Mees koppig. 'Ik weet het zeker, ze was zo puur, zo zichzelf. Je kan geen gelijk hebben.'

'Je wílt niet dat ik gelijk heb…' was Julia's weerwoord.

'Ook dat,' gaf Mees toe.

Het bleef even stil.

'Ik ben zó boos!' zei hij toen.

'Op Tosca?'

'Nee, op die etterbak. Wie weet wat hij haar heeft aangedaan! En op mezelf, dat ik haar niet bij me in de buurt heb gehouden.'

'Alsof je haar expres kwijt bent geraakt. Je moet jezelf niks verwijten. En bovendien… Ze wilde jou toch ook niet meer zien. Je mocht niet weten waar ze woonde…'

'Auw.'

'Ja, sorry hoor, maar zo is het wel gelopen,' zei Julia laconiek.

'Misschien denkt ze daar anders over nu ze nuchter is.'

'Je bent onverbeterlijk. Je wéét het niet.'

'Nee, ik weet het niet.'

'Ik denk toch echt dat je haar moet vergeten.'

'Dat kán ik niet!'

'Dat denk je nu. Maar je hebt geen keus. Over een poosje lukt dat best...'

Mees draaide op zijn stoel in het rond. Zijn blik gleed door zijn opgeruimde kamer. Zondagavond gedaan, toen hij niet kon slapen. Vreemd, zijn kamer was anders nooit zo netjes.

'Je zult wel gelijk hebben...' zei hij bedrukt.

'Kom op, Mees!'

'Lief van je dat je belt,' zei Mees toen maar. 'Het is fijn om even over haar te kunnen praten. Het idee dat ik haar nooit meer zal zien...'

'Je kunt dat maar beter accepteren.'

'...'

'Wat ga je in de meivakantie doen?' vroeg Julia toen. 'Kom je nog hierheen?'

'Welke dag is het vandaag?'

Julia lachte. 'Dinsdag. Morgen nog naar school, donderdag is het Koninginnedag en dan volgen nóg tien vrije dagen. Heerlijk!'

Mees haalde zijn schouders op. 'Ik weet het niet, in ieder geval kom ik over anderhalve week het weekend. Ik heb extra uren afgesproken in de supermarkt. Ik moet zo veel mogelijk afleiding hebben, dus ik dénk dat ik mijn tijd vul met vakken vullen. Ook voor school moet ik nog een en ander doen.'

Bij zijn vader thuis zou het helemaal niet uit te houden zijn, dacht hij, zo dicht bij alles wat er was gebeurd.

'Nou, ik bel wel weer. Zet hem op, hè.'

'Ja, dank je voor het bellen.' Zou Tosca nu net zo naar die Rick verlangen als hij naar haar? dacht Mees toen hij de verbinding had verbroken. Die gedachte was ondraaglijk. Hoe zou de avond verlopen zijn als ze bij hem was gebleven? Hadden ze samen gedanst? Hadden ze... gezoend? Hádden ze dan nu iets met elkaar?

Dinsdag vandaag. Was zaterdag pas zó kort geleden? Hij had al die uren aan elkaar gedroomd over Tosca. Daarom deed het zo'n pijn: die droom zou nooit uitkomen...

Hij ging op zijn bed liggen met zijn handen onder zijn hoofd en staarde naar het schuine plafond. Daar hing een poster van een zangeres die twee jaar geleden populair was. Hij was haar naam bijna vergeten. Ze was misschien door meer mensen vergeten, je hoorde nooit meer van haar. Maar Mees had haar laten hangen omdat ze mooie borsten had die maar voor een deel achter haar bloesje zaten en die als twee bolletjes ijs in een hoorntje tegen elkaar waren gedrukt. Hm, dat was wel een gekke vergelijking. Borsten waren warm. Hij kreeg het er warm van, tenminste.

Hij dacht aan Tosca's kleine borsten onder het rode truitje, die hij alleen van een afstand had kunnen zien. Hij dacht aan de borsten van Bibi, die hij had gezien én gevoeld, maar nooit onder haar kleren. Zien en voelen van buitenaf was dat geweest. Meer mocht niet. Hij dacht aan de borsten van Kim. Van Kim mocht meer, maar niet zo heel veel meer. Niet zo veel als hij zou willen. Hij had

Kims blote borsten gezien, ze aangeraakt en ze gezoend. Hij had meer van Kim willen aanraken en zoenen. Net als Bibi eerder, had ook Kim vooral gezellig hand in hand willen zitten en willen praten. Muziekje aan, kaarsjes aan. Samen op zijn kamer, op ditzelfde bed. Romantisch, vonden ze dat. Dicht tegen elkaar aan, lekker tongen, een beetje aaien, wat heel fijn was natuurlijk, maar hij wilde meer. Hij wilde weten hoe Kim er onder haar kleren uitzag. Hij wilde gewoon weten hoe dat was: vrijen, seks. Hij hoefde heus niet al met Kim naar bed als zij dat niet wilde, maar ze wond hem zo op en, nou ja, eerlijk is eerlijk, hij wou het best. Maar niet als Kim niet wou. Hij vond het wel jammer dat zij niet wou.

Nogal wat jongens uit de klas hadden het al gedaan. Zeiden ze. Mees wist niet of hij hen moest geloven. Jongens onder elkaar leverden vooral veel verhalen op. Stoer doen en opscheppen. Niet voor elkaar onder willen doen. Bang zijn dat jij de enige was die het nog niet had gedaan. Want dat was hij ook. Dat hij straks de enige was die het nog niet gedaan had van zijn vrienden. Maar ook was hij bang door de mand te vallen als hij zéí dat hij het gedaan had.

Met Tosca zou hij het wel willen doen. Of zou zij ook alleen maar willen kletsen en zoenen? Waarom wilden meiden dat eigenlijk? Zouden zij minder zin in seks hebben?

Hij kon het zich bijna niet voorstellen. Hij had altijd zin… Vaak in ieder geval. Te vaak misschien? Was dat normaal?

Mees knoopte zijn broek los en zijn hand verdween in zijn boxershort. In gedachten had hij het al met Tosca gedaan, al wist hij nog niet precies hoe het was en hoe het voelde. Stevig omklemde hij zijn stijve.

Tosca… Tosca… Tósca…

16

'Ik denk toch echt dat je haar moet vergeten,' had Julia gezegd. Ze had het nóg twee keer in zijn mobiel geroepen, maar Mees wílde Tosca niet vergeten. En Mees kón haar niet vergeten.

In de meivakantie deed hij wat hij tegen Julia gezegd had: hij werkte in de supermarkt en maakte opdrachten voor school. En verder las hij een beetje, liep hij hard en speelde hij piano. Hij at Pringles en dacht heel veel aan Tosca.

Het was iedereen opgevallen dat hij niet zo vrolijk was als anders. *Niet zo vrolijk.* Het mócht wat...

Zijn moeder had hem naar X gebracht en nu was hij dan weer dicht bij waar het twee weken geleden allemaal gebeurd was. Ook hier klaagden ze over zijn humeur. Julia net zo goed: 'Je zwelgt in zelfmedelijden, jongetje, dat moet niet te lang duren!'

Zij had makkelijk praten. Zij had een vriend die haar kwam ophalen om wie weet wat te doen. Maar ze had ook het volgende gezegd: 'Mees, ik moet je wat opbiechten.' Het was zaterdagmorgen en ze zaten samen aan de ontbijttafel. De rest van de familie had al gegeten.

Mees keek op. Julia die iets op te biechten had! 'Nou?'

'Ik was gisteravond met Paul in De Kletskop, je weet wel, dat jongerencafé. Maar niet alleen daar, overal waar ik kom vraag ik of iemand een meisje kent dat op Tosca lijkt. Er zijn inmiddels al heel wat mensen die weten dat jij naar haar op zoek bent.'

Mees keek haar aan. Hij grijnsde. 'Is dat niet wat tegenstrijdig met je eerdere raad?'

'Vind je?' Julia streek met haar rechterhand een losse streng haar achter haar oor. 'Stel nou dát... Dan hoef je haar niet meer te vergeten. Maar hoe vaak is ze hier? Heeft ze hier vrienden, gaat ze uit?'

'Ik weet het niet,' zei Mees ongelukkig. 'Ik weet niet zo veel van haar. Ze is hier elke veertien dagen, net als ik. Dat is het wel zo ongeveer.'

'Lastig.'

'Julia, wat moet ik doen?'

'Zoeken.'

'Hoe? Waar?'

'Mee-hees, waar zit jouw verstand? O nee, dat heb je niet meer als je verliefd bent. De kans is dus groot dat ze dit weekend hier is. Loop rond, kijk uit je doppen, ga in elk café waar jongeren komen kijken of ze er toevallig ook is.'

'Maar als ze nou het hele weekend thuis zit?'

'Dan zul je haar niet vinden. Maar als jij het hele weekend thuis zit al helemaal niet!'

Dus ging hij de stad in. Deze meivakantie was het vaak slecht weer geweest, te koud voor de tijd van het jaar en met nogal wat regen. Het gaf hem niks. Het paste heel goed bij zijn humeur. Nu was het beter, droog en zelfs een beetje zonnig. Dit was pas romantisch: dit verlangend zwerven door de stad, dit *lijden*. Zelfmedelijden, meer niet, hoorde hij Julia's spottende stem in zijn achterhoofd. Soms was ze onuitstaanbaar. En soms een kanjer van een zus. Dat had hij natuurlijk zelf ook kunnen bedenken, dat Tosca dit weekend ook hier zou kunnen zijn. Moest hij nu concluderen dat zijn verstand inderdaad niet werkte?

Hij zwierf in cirkels rond De Swing en liep een paar keer langs de muziekwinkel. Áls ze hem zou zoeken, zouden De Swing en de muziekwinkel plekken zijn waar ze naartoe zou gaan. Maar waarschijnlijk deed ze nu heel andere dingen.

Door de etalageruit keek hij naar binnen. Het zou toch kunnen... Hij stond stil op het Waagplein waar de meeste winkelstraten op uitkwamen en waar altijd veel mensen waren.

De zon brak door en het werd zowaar warm. Hij liep alle terrassen af en keek wie er zaten. Er waren nogal wat meisjes en vrouwen die krullen hadden, viel hem nu op.

Hij liep De Kletskop binnen, en nog drie andere cafés die hij kende. Eerst liep hij de zaak door, waarbij hij alle mensen goed in zich opnam. Dan keerde hij terug naar de bar, bestelde een cola en vroeg de barman: 'Ik ben op zoek naar een meisje. Ze is een jaar of zestien, zeventien. Ze is nogal klein en heeft een prachtige bos krulletjes. Toen ik haar zag, had ze het haar omhoog in een paardenstaart. Blauwe ogen heeft ze en ze draagt kleren met heel veel kleuren. Ze heet Tosca. Ken jij haar toevallig?'

Nee, ze kenden haar niet. 'Komt ze hier regelmatig?'

'Het zou kunnen,' zei Mees. 'Ik weet niet zo veel van haar, behalve dat ik haar wil vinden.'

De manier waarop ze hem aankeken, was verschillend:

de een meewarig, de ander geamuseerd, maar ze waren allemaal bereid een briefje achter de tap te leggen met Mees' naam en telefoonnummer erop voor het geval Tosca bij hen binnen zou stappen.

Mees liep zijn zoveelste rondje, weer langs de muziekwinkel en weer langs De Swing. Straks zou hij nóg een keer de cafés langsgaan. Het was lastig inschatten hoe Tosca haar weekend zou doorbrengen en hoe laat ze naar het café zou gaan, vooropgesteld dát ze zou gaan. Hij moest vanavond nog maar een kroegentocht houden. En naar de discotheken. Duur avondje. Gelukkig had hij goed verdiend deze vakantie.

Maar hij zou beginnen bij De Swing, bedacht hij ineens. Gewoon om acht uur daar gaan staan. Tot negen uur. Stel dat zij hem zou willen vinden, dan zou ze best eens rond die tijd naar De Swing kunnen gaan...

Het idee wond hem op. Dát zou heel goed kunnen, dacht hij ineens vol hoop. Hoe laat was het nu? Mees keek op zijn horloge. Het was bijna sluitingstijd. Hij kocht een busje Pringles en op het Waagplein liet hij zich door zijn knieën zakken en leunde met zijn rug tegen de sokkel van het beeld. Wie was het ook alweer? Mees keek omhoog. Een of andere ruiter. Ach, wat interesseerde hem dat.

Hij keek naar alle meisjes die voorbijkwamen. Niet één was zo mooi als Tosca. Niet één zo parelend als Tosca. Niet één had zulke prachtige ronde krullen. Hij haalde de Pringles te voorschijn. Hij had trek gekregen.

Even later liep hij verder. De koker bleef vergeten achter.

HET VERHAAL VAN TOSCA

17

Het weer sloeg om juist toen de meivakantie begon. Koninginnedag viel in het water. Dát vond Tosca niet zo erg, zij deden toch niet meer mee met de spelletjes en de activiteiten, maar ze hingen met leeftijdgenoten wel altijd wat rond in het dorp. Dat de zweefmolen stil bleef staan, vond ze jammer. Die bleef leuk, zelfs als je zestien was.

Meestal was Koninginnedag heel gezellig: het dorp liep uit, iedereen was vrij, overal hingen vrolijke oranje vlaggetjes. Maar dit jaar was het anders en dat was niet alleen vanwege de regen.

Tosca hield zich op de vlakte en feestte niet zo uitbundig mee als andere jaren.

'Je gedraagt je als een koningin die zich verheven voelt boven het gewone volk,' verweet Mijke haar.

'Toepasselijke beeldspraak,' zei Tosca, 'maar dat is het niet.'

'O nee? Wat dan? Waarom doe je niet gewoon met ons mee?' Mijke keek haar uitdagend aan. Bewijs het tegendeel maar, zei die blik. Dat was nu net het probleem: Tosca kon niet goed uitleggen wat het wél was.

Het regenachtige weer hield haar binnen op de dagen die volgden. Tosca las in haar bibliotheekboek, maar verloor algauw de draad van het verhaal, ze huurde video's die ze niet uitkeek, ze zat achter de computer, maar vond er niks aan en keek met nietsziende ogen door de natte ramen naar buiten.

Ze lag op haar bed met haar ogen dicht en luisterde naar Rick, die de geluidsboxen uit knalde. Als ze haar ogen open zou doen, zou ze hem ook kunnen zien: driemaal hing hij op haar kamer: twee keer alleen en één keer met de jongens van Brainwave. Verlangde ze naar hem? Was dat het? Zijn armen weer om haar heen, zijn lippen weer op die van haar, zijn handen tegen haar blote borsten? Nee, dat was het niet. Langzaam kwam ze overeind. In de korte pauze tussen twee nummers door hoorde ze Anna's meidengroep uit de kamer naast die van haar kwijlen. Ze zat op de rand van haar bed, zette haar voeten zorgvuldig naast elkaar op de vloerbedekking, drukte haar knieën dicht, vouwde haar handpalmen tegen elkaar en schoof ze tussen haar dijen. Verwonderd, alsof ze voor het eerst op haar eigen kamer was, keek ze om zich heen.

Ze zag de lichtblauw geverfde wanden van haar kamer, met de strepen donkerblauwe luxaflex voor het raam, de posters van Rick en andere popsterren, allemaal uit de *Hitkrant*, en de gele halvemaanlamp die veel te kinderachtig was, maar waarvan ze nog niet had kunnen besluiten om hem weg te doen omdat hij zulk sfeervol licht gaf. Ze zag de kleren op de grond, de rotzooi op haar bureau, het boekenkastje waar op de planken meer prulletjes en spulletjes lagen dan boeken, en de uitgebluste zitzak in de andere hoek met nog een verdwaalde knuffel waar ze ook nog geen afstand van kon doen.

Ze dacht aan Mees. Stom, maar ineens verlangde ze ernaar hém terug te zien.

Tosca wreef haar handen warm en liet de herinneringen weer komen die ze weg had gedrukt omdat ze er toch niks mee kon, omdat Rick er was geweest, omdat ze dat nu eenmaal wilde.

Maar nu wilde ze ze terug, die herinneringen.

Mees met z'n pet op bij de muziekwinkel. Mees met z'n Pringles in zijn hand bij De Swing en hun gesprek van toen. Mees met een blije lach om z'n lippen toen hij met de kaartjes naar haar toe kwam.

Ze snapte het niet. Er was iets geweest – een vonk, een sympathie, een zeker weten: ik vind jou leuk! Dat was toch wederzijds geweest? Waarom had hij anders zo naar haar gekeken? Waarom lachte hij anders zo? Maar hij had verkering met Julia!

Jammer, jammer, jammer!

Geïrriteerd stond Tosca op om Rick met een druk op de knop het zwijgen op te leggen. Midden in de kamer bleef ze met haar hoofd scheef staan luisteren naar het kletteren van de regen tegen het schuine dakraam. Ze wreef met haar wijsvingers over haar slaap, over de korst van de schaafwond. Ze krabde ook even aan de korstjes op haar onderarm. Het jeukte.

Waren de herinneringen aan Mees ook niet zuiver? Had ze echt mist in haar kop?

Tosca rilde. Misschien wel... Als hij verkering had, deed hij toch niet zó tegen haar?! Maar ja, wat kende zij hem nou, misschien deed hij tegen iedereen wel zo.

'Stop!' riep ze hardop tegen zichzelf. 'Dat stomme gepieker...' En ze schudde haar hoofd. 'Niet meer doen!'

Maar dat was gemakkelijker gezegd dan gedaan. Vooral toen ze die avond, terwijl ze lamlendig voor de tv hing te zappen, ineens bedacht: maar als je verkering hebt, en je begroet je vriend, zoen je hem toch op zijn mond? Julia had Mees een zoen op zijn wang gegeven! Wat betekende dat? Hadden ze ruzie? Waren ze een heel maf stel? Of waren ze géén stel?

Wie was Julia dán? Zijn zus? Een nichtje? Een buurmeisje?

Tosca kreunde. Waarom had ze dit niet eerder bedacht?

'Kind, wat is er toch met jou?' riep haar moeder ineens getergd uit. Ze zat met Anna's kapotte broek en haar naaimand aan de eettafel. 'Je werkt me vreselijk op de zenuwen! Pak een boek, bel Mijke, ga ergens heen, spreek wat af, dóé iets!'

Tosca keek op. Gelukkig wist haar moeder van niks, dacht ze. De roddelcircuits in hun dorp waren vaak gescheiden, wat jongeren elkaar doorvertelden kwamen de volwassenen meestal niet te weten. En dat moest vooral zo blijven.

'Ik wil naar papa,' zei ze ineens. Het kwam zomaar in haar op. Ze had een minuut geleden geen idee gehad dat ze dit zou willen. Maar ineens wist ze het zeker: ze wilde naar de stad. Ze wilde naar De Swing. Ter plekke kijken of het allemaal klopte wat ze aan beelden en herinneringen in haar hoofd had zitten.

'Dat mag, vrijdagmiddag,' zei haar moeder. 'Dan is het weer tijd om naar je vader te gaan.'

'Nee, ik wil nú, ik bedoel, morgen.'

'Morgen al?' Haar moeder keek bedenkelijk. 'Wat is het morgen? Woensdag. Maar papa rekent er niet op, die is aan het werk.'

'Weet ik, maar ik kan mezelf heus wel redden, hoor, ik ben geen dertien meer. En ik heb vakantie. Ik verveel me hier dood. Bij papa valt veel meer te beleven.'

Nu keek haar moeder nog zuiniger. 'En Anna dan?'

'Wat ze wil. Morgen mee of vrijdag pas.' Tosca wachtte niet af, ze pakte de telefoon en belde haar vader.

18

Weggedoken in de veel te grote regenjas van haar vader stond Tosca de volgende middag voor de dichte deuren van De Swing in een straat die nat en verlaten was. Achter die deuren wist ze de kassa met de ruime hal erachter. Daar stond ze met Mees te wachten, toen had ze nog gedacht wat een bijzondere jongen hij was en wat een zonnig gezicht hij had. Daar kwam Julia erbij, die zijn verkering was. Of niet. Of toch wel.

Dan volgden er weer deuren, en dan de zaal. En dáár was het podium, waar ze gezeten had terwijl hij zong met haar hand in de zijne...

Rechts in de hal was de deur die toegang gaf tot de kleedkamers. Ze zag zichzelf staan tussen de andere meiden. Ze zag Rick te voorschijn komen. Ze zag haar eigen ongeloof toen hij vroeg: 'Wil je wat drinken?'

Ze had niet direct begrepen wat zijn bedoeling was... Maar toen voelde ze zijn arm rond haar schouder waarmee hij haar zacht voor zich uit duwde, terwijl Hassan ruimte maakte en riep dat er geen handtekeningen meer te krijgen waren. Waar die andere jongens gebleven waren, had ze zich op dat moment niet eens afgevraagd. Ook niet hoe de afspraak tot stand was gekomen dat ze alleen werden gelaten. Betekende het dat Rick dit vaker deed, meisjes meenemen?

Hij wist wat hij deed, vertoonde geen spoor van onzekerheid. Rick schoof twee stoelen naast elkaar. Hij praatte wat over een lekkere bank, bood haar een biertje aan en begon in haar nek te krieuwelen. Ze onderging wat hij deed en luisterde naar zijn vlijende woorden, die uiteindelijk haar zenuwen afvlakten en haar verlangen aanwakkerden. Ze dronken bier en zoenden.

'Je hebt toch een vriendin?' vroeg Tosca tussen twee tongzoenen door.

Rick legde een vinger op haar lippen. 'Het is uit,' zei hij.

Zijn zoenen smaakten naar rook en bier, maar het was Rick die haar zoende, dacht Tosca steeds. Hij kon zoenen en praten tegelijk, leek het, en zeggen dat ze zo mooi was, hem opwond, hem gigantisch opwond, maar dat dit alles niet betekende dat hij iets met haar wou. Ja, dit, zoenen en vrijen, nu en hier. 'Maar geen vervolg, oké?!'

Hij keek haar vragend aan, alsof ze nú nog kon weigeren of weg zou kunnen gaan.

Voor ze het wist, had Rick haar bovenkleren uitgedaan en lag hij op zijn knieën voor haar om haar borsten te strelen. Hij zoog op haar tepels, legde zijn handen rond haar middel, kietelde met zijn tong rond haar navel en ritste toen haar rokje los.

Ze kon zijn tempo niet bijbenen. Ze wist nog dat ze een soort zevende-hemelgevoel had, maar durfde niet veel meer dan een kus op zijn haar te drukken, en op zijn borst waar nog wel een shirt omheen zat en, uiteindelijk, op zijn blote schouder.

Hij trok haar overeind en duwde haar tegen zich aan.

Hij kneep daarbij in haar bovenarmen en hijgde in haar oor. Ze kon hem niet meer verstaan, of zei hij niks? Ze voelde zijn stijve, hij duwde haar hand ertegenaan. Moest ze nu...?

Staand nam ze een slok van haar bier en nog één en nog één. Het smaakte niet echt lekker. Ze wist niet goed wat ze moest doen. Rick wel, die maakte een nieuw blikje open en had toen ineens ook een condoom in zijn hand.

Tosca was daar toch wel een beetje van geschrokken. Wilde hij zo ver gaan? Nu al? En hij had al zijn kleren nog aan...

Hoe lang stond ze daar in die straat? Tosca wist het niet, ze had zichzelf verloren in een tijd die achter haar lag. Het had anders kunnen lopen, dacht ze nu. Het had anders moeten lopen. Rick is alweer verder, die is haar al lang vergeten en heeft alweer een ander meisje toegezongen.

Water droop uit haar haren en stroomde over haar gezicht. Ze besefte ineens dat het niet alleen regenwater was, het waren ook tranen die over haar wangen spoelden.

Ze had het anders moeten doen. Ze had de verkeerde keuzes gemaakt, en ze kon het niet, nooit terugdraaien.

Het was haar eerste keer. Zittend op een stoel met een jongen die ze niet terug zou zien. Hij was heel snel klaargekomen, had gezucht: 'Dat was lekker,' en had doodkalm een knoopje in het condoom gelegd en daarna zijn broek weer aangetrokken.

Hij gaf haar een kusje in haar hals en zei: 'Kleed je maar weer aan. Ik ga de jongens helpen de bus inladen. Je bent prachtig. Dank je wel.'

Verbijsterd had Tosca haar maillot, rokje en trui weer aangedaan. Daarna was ze blijven zitten. Werktuiglijk dronk ze haar biertje verder leeg, al voelde ze zich niet lekker. Ze had niet geweten hoe het nu verder moest. Ze zat er nog toen Rick later terugkwam om zijn jas en wat andere spulletjes te halen. Hij was verbaasd. 'Zit je hier nog? Ik ben toch duidelijk geweest? Je moet naar huis. Dat doe ik ook. Kom, want anders word je ingesloten. Dag hoor, je bent echt een mooie meid. Degene die jou krijgt, mag in zijn handjes knijpen. Nogmaals bedankt, je bent echt prachtig.'

Ze was achter hem aan gelopen, had tegen hem aan gepraat, maar wat ze allemaal had gezegd, wist ze nu niet meer. Waarschijnlijk allerlei argumenten om hem te laten blijven. Hij luisterde niet. Hij had haar gewoon laten staan. Ja, hij had nog gezwaaid, een kushandje gegeven. En dat was dat. Achter haar werden de deuren van De Swing gesloten en toen stond ze daar alleen in de donkere steeg. Ze had amper nog geweten waar ze was. Ze was door haar knieën gezakt en had daar een hele tijd gezeten.

Mees had haar gevonden. Helemaal vanuit het niets was Mees daar ineens! Mees was teruggekomen en had haar meegenomen. Maar wat schaamde ze zich!

Ja, ze wist vrijwel alles nog, dacht Tosca nu. Alleen niet meer hoe ze thuis was gekomen. Mees zou ze wel nooit meer terugzien… Die had het natuurlijk helemaal gehad met haar…

Ze had zo ongelooflijk stom gedaan!

Ze had zich mee laten slepen. Ze was gevleid, ze was trots, maar ze had zich niet echt afgevraagd of zíj ook zo ver wilde gaan. Misschien achteraf toch liever niet...

Dat besef was een dreun in haar gezicht. Maar ze wist nu wat er met haar aan de hand was. En dwars door haar tranen heen kwam een nieuwe gedachte boven: ze moest Mees vinden.

Maar nu moest ze naar huis, voor ze ziek werd... Op de een of andere manier voelde Tosca zich een stuk beter toen ze de straat uit liep. Ze schudde de waterdruppels van zich af zoals een hond zijn vacht uitschudt en likte met haar tong het zout rond haar mond weg. Ze huilde en lachte tegelijk.

Ze zou Mees gaan zoeken.

19

Vier dagen doolde Tosca door de stad in de hoop hem tegen te komen. Het weer was gelukkig beter, het was minder nat en minder koud, en de regenjas van haar vader kon aan de kapstok blijven hangen.

In haar eigen oude jack struinde ze de hele dag door het centrum. Ze probeerde geen enkele straat over te slaan en op de drukste plaatsen bleef ze een half uur of langer om zich heen kijken: op de kade van de gracht waar het centrum begon, op de rand van de fontein in het park of met haar rug tegen het ruiterstandbeeld op het Waagplein geleund. Ze zag de stad zoals ze die nog niet kende: straatnamen, winkels, beelden, het park, de daklozenopvang, geldautomaten, waar je ijs kon krijgen.

Tosca had geen idee of Mees hier ook was. Ze probeerde hun gesprekken naar boven te halen en op een rijtje te zetten wat hij over zichzelf had verteld: over zijn muzieksmaak en zijn pianoles, over de boeken die hij las, over zijn school en in welke klas hij zat, over zijn ouders, die ook waren gescheiden. Hij was het weekend bij zijn vader geweest, zoals elke veertien dagen, net als zij, maar hij woonde dus niet hier. Waar wel? Ze kon het zich niet herinneren. Had hij het genoemd? Alleen dat hij in de muziekbuurt woonde. Dat moest het adres van zijn vader zijn. Dus doorkruiste ze ook de muziekbuurt.

Die bleek aan de noordkant van de stad te liggen. De straten daar waren breed en rustig, met grote huizen met veel tuin eromheen, of het waren smalle paden en woonerven waar de huizen kleiner waren. Mooie buurt om te wonen, dacht Tosca. De straten heetten er Andante, Grieglaan of Carmenplein. Geen idee waar dat allemaal op sloeg. 's Avonds zocht ze het op in de muziekencyclopedie van haar vader, die verbaasd was over haar plotselinge interesse. Ze kon hem geen ander antwoord geven dan: 'Gewoon, nieuwsgierig,' bang dat hij haar zou uitlachen. Gelukkig kon ze verder ongestoord haar gang gaan. Dat was zo prettig aan haar vader, dat die niet al haar gangen navroeg. Bovendien was hij aan het werk; hij had nachtdienst, dus hij sliep overdag. Aan het begin van de avond, vóór hij naar het ziekenhuis ging, deden ze een spelletje. Voor ze naar bed ging, prikte ze de blaren op haar voeten door.

Ze kon ook Julia tegenkomen, dacht Tosca, dat was ook goed. Dan kon die haar vertellen waar Mees woonde. In ieder geval zou ze hem dan zijn geld terug kunnen geven.

Zo zwierf ze door de stad. Tegen beter weten in? Wilde hij gevonden worden? Ze wist het niet meer precies, maar áls hij haar thuis had gebracht, wist hij waar ze woonde. Dan had hij de volgende dag kunnen komen informeren hoe het met haar ging. En dat was niet gebeurd.

Natuurlijk had hij dat niet gedaan: hij had gezien hoe ze voor Rick was gevallen én hij had haar hartstikke dronken meegemaakt. Dus moest ze voor hem hebben afgedaan. Het kon niet anders.

Toch bleef ze doorgaan met zoeken. Ze kon het hem

uitleggen. En ze moest het geld nog teruggeven. Zaterdagochtend keek ze nog intensiever naar alle voorbijgangers. Nu was de kans veel groter dat Mees hier was. Bij het ruiterstandbeeld op het Waagplein kwam ze steeds terug: kruispunt van straten en winkels, het drukste stuk van X. Kon de bronzen ruiter maar vertellen wie hij gezien had.

Zaterdagmiddag nam ze Anna mee de stad in. Het was vandaag zelfs behoorlijk zonnig, dus ze pakten een terrasje. Anna keek om zich heen naar de jongens.

'Welke vind jij leuk, Tosca? Die? Of die? Of is dat meer jouw type? En die dan, die donkere, dat is toch ook een stuk!'

Tosca keek met haar mee, alleen maar om dat ene gezicht te vinden. Ze betrapte zich erop dat ze alleen jongens leuk vond die op Mees leken.

'En als Rick nu ineens langskwam, wat zou je dan doen?' vroeg Anna.

'Wegduiken achter iedereen z'n rug en hopen dat hij mij niet ziet,' antwoordde Tosca in een opwelling.

Anna keek haar verbaasd aan. 'Wil je geen beroemd vriendje?'

'Nee, ik denk niet dat dat leuk is. Hij is altijd weg en je kunt vast nooit zomaar samen de stad in bijvoorbeeld, hij heeft natuurlijk altijd hordes meiden achter zich aan.'

'Toch vind ik het super dat jij wat met hem had.'

Tosca haalde haar schouders op. Ze had geen zin het uit te leggen. Ze vond het zelf nog steeds moeilijk om te snappen wat ze had gedaan, laat staan dat ze het een ander duidelijk kon maken. Alles was anders. Ook deze vakantie was anders. Normaal gesproken genoot ze van zo veel vrije tijd en zaten haar dagen boordevol afspraken met haar vriendinnen. En nu voelde ze zich verloren met de tijd en met zichzelf. Dat viel toch niet uit te leggen: verliefd zijn op Mees en dan met Rick meegaan?!

Ze wist best dat het weer gewoon kon zijn: ze hoefde maar te bellen en haar vriendinnen stonden op de stoep, ook nu nog, daar was ze van overtuigd. Maar ze deed het niet. Net zomin als ze deze dagen bij haar buurmeisje Marina had aangebeld.

En overmorgen moest ze weer naar school. Als ze daaraan dacht, werd ze alweer somber. Zou het dan dóórgaan, dat gevraag en geroddel? Hoe lang zou dat aanhouden...

Maar zover was het nog niet. Ze waren nog hier, in dezelfde stad als Mees. Nu was het erg waarschijnlijk dat hij hier ook was. Hoe groot was de kans dat ze hem opnieuw tegen het lijf zou lopen? Ze dacht de hele dag aan hem, en haar verlangen hem terug te zien werd groter en groter.

Was ze op het juiste moment op de goede plek? Nee, natuurlijk niet! Ze moest naar de muziekwinkel! Daar hadden ze elkaar uiteindelijk voor de eerste keer ontmoet.

Ze veerde overeind. 'We betalen en dan moet ik nog ergens naartoe!' zei ze tegen Anna.

Die keek haar vragend aan, dus deed ze toch maar een poging Anna uit te leggen wat er in haar omging.

'Ik snap het best,' zei Anna toen Tosca uit verteld was.

Tosca lachte, het klonk zo eigenwijs uit de mond van haar kleine zusje.

'Je dacht dat Mees verkering had. En trouwens, we zijn

toch allemaal een beetje verliefd op Rick. Of op Elmar natuurlijk. Anderen zijn verliefd op Elmar. Hij mag dan gewonnen hebben, Rick is veel knapper!' Ze zweeg een moment en liet er toen op volgen: 'Ik ben ook op twee jongens verliefd en ik weet niet wie ik moet kiezen.' Dat laatste kwam er wat zielig uit. Tosca keek Anna onderzoekend aan. Zo klein was haar zusje niet meer, dacht ze.

'Och, meid, vertel!' moedigde ze haar aan.

Alsof ze een springveer had uitgerekt die nu terugsprong: Anna ratelde aan één stuk door over twee jongens uit haar klas die allebei verliefd op háár waren. En Anna vond ze allebei leuk en wilde hen geen van beiden teleurstellen.

'Maar dat is heel ingewikkeld, Tos, want als ik in de pauze met Joren loop, is Jesse jaloers en als ik dan 's middags met Jesse afspreek, is Joren kwaad.'

Tosca lachte. 'Heten ze zo: Joren en Jesse?'

'Ja, wat is daar gek aan?'

'Niks,' verzekerde Tosca haar. 'Het klinkt grappig.'

'Maar wat moet ik doen?'

'Kiezen.'

'Dat kan ik niet!'

'Heb je al gezoend?'

'Nee, want dan… Nou ja… Ik kan moeilijk met allebei gaan staan zoenen.'

'Met wie zou je willen zoenen?'

Het antwoord kwam verrassend vlot. 'Met Joren.'

Tosca keek haar aan. 'Dan weet je nu wie je moet kiezen.'

Ondertussen probeerde Tosca de aandacht van de jongen die het terras bediende te trekken. Eindelijk keek hij hun kant op en Tosca betaalde. Ze stonden op en wurmden zich tussen de stoelen en tafeltjes door het terras af.

'Het is niet anders, Anna. Jesse komt er wel overheen. Deze kant op.'

Ze werd zenuwachtig toen ze de straat van de muziekwinkel in liepen. Stel je nou toch eens voor...

Hier had ze Mees voor het eerst gezien. Toevallig waren ze om dezelfde tijd hier geweest om kaartjes te vragen én later op de avond bij De Swing weer. Zou het toeval niet nog een handje kunnen helpen? Stel dat Mees nu op de een of andere manier een teken had achtergelaten...

Tosca en Anna stonden stil voor de etalage. Tosca liet koortsachtig haar blik langs de gitaren glijden die keurig in het gelid stonden opgesteld in de rechteretalage, op zoek naar dat teken, en daarna bekeek ze de cd's in de etalage links van de deur. Haar hart ging als een gek tekeer. Was er iets veranderd? Was er iets wat...

Natuurlijk niet. Er was niks bijzonders te zien. Dit was gewoon een muziekwinkel waar je dingen kon kopen die met muziek te maken hadden: een instrument of een standaard of een draagband voor om je nek of een boek met muzieknoten. En natuurlijk de nieuwste cd's. Kijk, die van Brainwave stond er ook tussen. Ze gingen naar binnen. Anna ging bij de bakken met cd's kijken en Tosca wandelde rond. Ze nam er de tijd voor. Bekeek de instrumenten die te koop waren, bladerde zogenaamd geïnteresseerd bij de bladmuziek, en nam toen ook een kijkje bij de cd's. Ondertussen verzamelde ze moed: zou ze vragen of Mees hier was geweest?

Ze kwam een cd van een groep tegen die ze alleen van naam kende, maar ze wist onmiddellijk weer dat Mees die had genoemd als een van zijn lievelingsgroepen. Wel een dure cd, zag ze, maar ze wilde hem hebben. Waar was Anna? Die stond nog steeds gebogen over de kast met tophits. Tosca wenkte haar.

Bij de toonbank vroeg ze om de cd te mogen beluisteren. Ze namen er de tijd voor. Tosca zuchtte. Wat zou het mooi zijn als Mees nu binnenkwam... Ze hield de deur in de gaten, die wel nieuwe klanten binnenliet, maar geen Mees.

Mooie muziek, vond Tosca. Toch wilde ze nog een andere cd horen. En daarna koos Anna er eentje uit om te beluisteren. Zo probeerden ze hun verblijf in de muziekwinkel zo lang mogelijk te rekken. De vrouw achter de toonbank had al een paar keer waarschuwend hun kant uitgekeken. Toen die uiteindelijk een beetje pinnig vroeg: 'Weten jullie al wat je wilt hebben?' wist Tosca dat het tijd werd om te gaan.

Ze haalde haar portemonnee te voorschijn. Toen ze het briefje van twintig aan de vrouw gaf, bedacht ze ineens iets. Ze vroeg: 'Ik kwam hier twee weken geleden een jongen tegen, die ik daarna weer uit het oog verloren ben. Ik vond hem heel leuk, maar dat besefte ik te laat. Ik ben nu naar hem op zoek. Mag ik hier misschien een briefje ophangen voor hem? Stel dat hij ook hierheen komt, dan kan hij mij bellen.'

De vrouw gaf Tosca haar wisselgeld. 'Nee, zeg, we zijn geen contactbureau! Moet de cd verzegeld worden?'

Even later stonden ze weer buiten. Anna wilde naar huis.

'Ik blijf nog wat rondlopen, ik kom straks,' zei Tosca.
Ze zag de winkels hun deuren sluiten. Alleen de cafés
bleven open. Ze kon er nog niet toe komen al naar huis
te gaan. Nog één keer langs De Swing, nog één keer door
de winkelstraat, nog één rondje over het Waagplein...

Onverstoorbaar stond hij daar: de bronzen ruiter met
zijn geheven zwaard. Welke strijd had hij gewonnen? Tosca keek omhoog naar de trotse uitdrukking op zijn gezicht. Een belangrijke dus in ieder geval. Haar voet stootte iets om: een lege koker Pringles. Ze raapte hem op.
Mees' favoriete smaak! Ineens wist ze het weer: samen hadden ze een donkergroene bus cheese-onion leeggegeten.
Zou deze van Mees zijn geweest?

Haar hart klopte in haar keel. Ze keek om zich heen.
De mensen die er nog waren, haastten zich naar huis. Nee,
géén Mees...

Tosca keek nog een poosje naar de koker in haar hand,
en gooide hem toen weg in de prullenbak twee meter ver-
derop.

HET VERHAAL VAN RICK

20

Vijf mei was het laatste concert op een rij. Het waren volle dagen; de band reisde van het ene optreden naar het andere. Met Koninginnedag was het begonnen en vandaag hadden ze twee keer gespeeld. Het weekend ertussen waren er ook concerten geweest, dus Rick had al een kleine week zijn eigen bed niet gezien.

Maar je hoorde hem niet klagen, het succes was duidelijk: acht concerten, acht keer succes, acht keer een overdonderend applaus, acht keer een toegift en acht keer afbreken en spullen inladen.

En acht keer gillende fans.

Rick veegde het zweet van zijn voorhoofd. Hij verlangde nu toch wel weer naar zijn eigen bed. Maar wat had hij genoten van het zingen, de muziek, het toejuichen en het succes. En dit gesjouw vond hij gewoon prettig: je spieren laten rollen en samenwerken met een team dat voortdurend grappen met elkaar maakte. Ja, de sfeer onderling was goed. Hij had het getroffen met Brainwave. Of hij het in zijn eentje had gered, was nog maar de vraag. Hij wilde echt deel van de groep zijn en niet een eenzame positie innemen. Ook daarom sjouwde hij nu met die zware kist.

Hij schoof hem in de bus, waar Twan stond om hem op de andere te stapelen. De gitarist gaf hem een klap op de schouder. 'Leuk dat je meehelpt.'

Rick haalde zijn schouders op. 'Vele handen maken licht werk,' zei hij en hij liep terug en begon aan het ontwarren en oprollen van de vele meters snoer.

Elk concert had hij gekeken of hij dat ene meisje weer in het publiek zag staan, het meisje met de krullen en de mooie ogen. Tosca.

Hij had haar niet teruggezien, wat niet wilde zeggen dat ze er niet was geweest. Maar ze had zich niet laten zien en was niet naar hem toe gekomen. Had hij dat verwacht? Hij wist het niet.

Het was een goede herinnering. Hij was eerst heel tevreden geweest: het was fijn, het was lekker, ze was mooi en bijzonder, zacht en meegaand. Het kon dus: seks om de seks, had hij gedacht.

Hij was echt verbaasd dat ze nog in de kleedkamer zat toen hij nog wat spullen kwam halen. Toch was hij heel duidelijk geweest, dat wist hij zeker. Hij had gezegd: 'Dit is alleen voor nu, voor dit moment, omdat ik er zin in heb en omdat jij er zin in hebt. Ik heb je niks te bieden, ik kan niks met je beginnen. Wil je het nog steeds?'

Het antwoord was ja, dat bleek duidelijk uit hoe ze reageerde en uit wat erop volgde. Maar toch zat ze er nog toen zij klaar waren met inladen. Het irriteerde hem. Had hij nu een probleem? Daar had hij dus geen zin in. Hij was moe, hij wilde gaan slapen. Morgen weer een optreden, morgenmiddag al, voor een heel jong publiek.

'Tosca!' had hij uitgeroepen. 'Wat doe je hier?'

Ze haalde haar schouders op, maar zei niks. Ze zat op een van de stoelen in de kleedkamer.

Rick zakte voor haar op zijn knieën en aaide haar wang.

'Het is tijd om naar huis te gaan.'

Nog steeds zei ze niks. Ze staarde hem aan. Waar was ze met haar gedachten? Haar blik was niet helder.

'Tosca, kom! Je moet hier weg. De tent gaat sluiten. Wij gaan naar huis, en jij ook.'

Nu leek er leven te komen in die lege blik. Kort schudde ze haar hoofd. Daarna sloeg ze onverwacht haar armen om hem heen en klemde zich aan hem vast.

Nee hè, ging die meid nou toch moeilijk doen? Er zat onverwacht veel kracht in haar armen, dus hij had moeite zich uit haar greep te bevrijden.

'Tosca, laat me los,' zei hij streng, alsof hij tegen een klein kind praatte. 'Ik heb het je gezegd: ik wil verder niks met je.'

Ze waren samen overeind gaan staan, maar ze stond zo wankel op haar benen, dat ze hem uit zijn evenwicht trok. Ze vielen over elkaar heen op de grond.

'Verdomme!' riep Rick. Dat kwam er nu van. Klootzak, schold hij zichzelf uit, nu heb je een probleem.

Hij krabbelde overeind en trok ook Tosca op haar benen. Hij hield haar bij haar bovenarmen stevig vast. Er liep een straaltje bloed over haar slaap. Hij veegde het af en zei: 'Tosca, luister! Je bent prachtig, we hebben het mooi gehad samen, nog een keer dank je wel daarvoor, maar nu is het voorbij. Het is tijd om naar huis te gaan.'

Hij gaf haar een kus op de wang en nam haar resoluut mee naar de gang, en duwde haar rechtsaf naar de buitendeur. Ze stonden nu in het straatje aan de achterkant van De Swing, vaag verlicht door een lantaarn boven de deur.

'Is ze er nog?' vroegen de jongens.

'Ja, en ze moet nu naar huis.'

'Zullen we haar maar thuis afzetten?' stelde Hassan voor.

Was dat een idee? Rick dacht na. Kreeg hij dan geen gedonder met haar ouders?

Maar Tosca klampte zich opnieuw aan hem vast. 'Ik blijf hier,' zei ze.

'Dat kan niet,' zei Rick en maakte zich los.

'Waar woon je?' vroeg Hassan.

'Ik blijf hier,' zei Tosca alleen maar.

Op dat moment kwam Twan met een medewerker van De Swing naar buiten. 'Alles binnen is weg. We kunnen gaan.'

Er werd gegroet en de deur van De Swing werd achter hun rug op slot gedaan.

'Stap maar in,' bood Hassan opnieuw aan terwijl hij het portier van de bus openhield. 'Dan brengen we je thuis.'

'Ik blijf hier,' was opnieuw het antwoord.

'Koppig grietje,' zei Hassan.

'Dronken grietje,' zei Twan.

'Lastig grietje,' zei Rick.

'Ik wil naar huis,' zei Hassan. 'Wat doen we, Rick?'

'Als zij zo graag hier wil blijven, dan blijft ze hier,' besloot Rick.

Hassan schudde zijn hoofd. 'Man, dat kun je niet maken.'

Rick stapte in de bus. 'Ze wil het toch zelf?!'

Tosca deed een stap naar voren. En ze deed nog twee stappen in zijn richting. Ze wankelde en bleef toen staan, maar ze stapte niet in. Ze staarde met die vreemde blik naar hem, wat hem een heel ongemakkelijk gevoel gaf.

Hij klapte het portier dicht. Tosca verroerde zich niet. De andere jongens haalden hun schouders op, stapten ook in en ze reden weg.

Rick trok driftig aan de snoeren, die nog meer in de knoop gleden. Met felle halen rukte hij de zwarte draden onder en over elkaar om ze te ontwarren.

Het meest enge was nog dat ze al die tijd niks anders had gezegd dan dat 'ik blijf hier'. Had ze maar gegild en gescholden, daar had hij beter tegen gekund. Dan had hij terug kunnen schelden. Nu zag hij haar steeds voor zich. Dwaas. Verloren.

Misschien was zij verblind geweest door wie hij was. Had hij daar rekening mee moeten houden? Maar zij was voor zichzelf verantwoordelijk, hoor! Hij was duidelijk genoeg geweest. Hij had ook niks kunnen zeggen en gewoon kunnen nemen wat hij wou. Kon hij hierin niet ook gewoon Rick zijn? Rick, die zin had in seks. Zij ook, zij wilde ook. Zij wilde zelf ook.

Hè hè, eindelijk los. Rick ging staan om zo de snoeren over zijn gebogen arm opnieuw op te kunnen rollen.

Maar hij voelde zich toch schuldig, en dat was een rotgevoel. Moest hij zijn excuses aanbieden? Maar ja, hij kende haar niet, wist alleen maar haar naam en dat haar vader in X woonde. Dat schoot niet op. Maar hij had wel naar haar uitgekeken. Daarom.

Zo, de snoeren lagen nu in keurige rollen voor zijn voeten. Hij ging weg om een nieuwe kist te halen. Hij zou wel willen weten hoe het nu met haar was. Of ze veilig was thuisgekomen. Ondanks zichzelf zou hij haar nog één keer willen zien.

Hij zuchtte toen hij de snoeren in de kist opborg. Dit moest niet bekend worden natuurlijk, had hij al een paar keer gedacht. Stel je voor dat zij naar de pers zou gaan... Dan had je de poppen aan het dansen. Niet vanwege Marleen, haar had hij het eerlijk opgebiecht. Die was geschrokken, maar ze hadden opnieuw gepraat. Ze miste hem, had ze gezegd. De komende dagen zou hij er helemaal voor haar zijn.

Maar toch liever geen verhaal van Tosca in de krant, vanwege zijn naam. Hij kon geen schandaal gebruiken. Weer zuchtte hij. Het hoorde er allemaal bij. De pérs... Ieder interview vroegen ze ernaar hoe het met zijn relatie was. Was het nog aan? Hadden ze misschien ruzie gehad?

Hij klikte de kist dicht en gaf een klap op het deksel. Ook deze kist schoof hij in de bus, die al zowat vol zat. Wat moest er nog meer gebeuren? Hij liep wat rond, maar alles was weg, zag hij, opgeruimd en in de bus. Mooi, dan konden ze naar huis. Hij verlangde naar de warme armen van Marleen.

HET VERHAAL VAN TOSCA

21

Dat viel alles mee, dacht Tosca opgelucht toen ze haar fiets maandagmiddag na de meivakantie uit het fietsenhok haalde. Waren ze het vergeten? Was het nieuwtje eraf? Iedereen leek over te zijn gegaan tot de orde van de dag. Geen vragen of roddels meer over Rick, maar verhalen over bioscoop en discotheek, uitstapjes en korte vakanties en daarna waren ze overgestapt op de gebruikelijke gespreksonderwerpen: de leraren, de lesstof, het huiswerk, de leesdossiers, de portfolio's.

'Waar heb jij eigenlijk al die tijd uitgehangen?' vroeg Mijke, die naast haar fietste, op weg naar huis. 'Nanet en Esther zeiden ook al dat je voor kluizenaar had gespeeld.'

Mijke was met haar ouders een week naar Frankrijk geweest en had daar uitgebreid over verteld. Tosca had weinig gezegd. Ze had dan ook niet veel beleefd. Kennelijk drong dat nu pas tot Mijke door.

'Ik heb je nog gebeld toen ik terug was, je moeder zei dat je er niet was, maar bij je vader kreeg ik ook geen gehoor. En je mobiel stond uit.'

'Zeker vergeten aan te zetten,' zei Tosca.

'Zal wel. Maar wat heb je nou gedaan?'

'Niet veel bijzonders. Op m'n bed liggen luieren. Wat rondgehangen.'

Mijke keek haar aan, onderzoekend. 'Hoezo, rondgehangen?'

'Ik ben een paar dagen eerder naar mijn vader gegaan. Toen heb ik wat door de stad gelopen.'

'En nog wat gekocht?'

'Ja, een cd. En snoepjes. En ijs. En nieuwe sokken. En verder heb ik veel muziek geluisterd. Lui geweest en muziek geluisterd.'

'Van Brainwave zeker.'

'Ook,' gaf Tosca toe.

'Is het een beetje over?'

'Wat bedoel je?'

'Je zult wel liefdesverdriet hebben.'

'Valt wel mee, hoor.'

'Heb je de nieuwste *Hitkrant* al gelezen?' vroeg Mijke.

'Nee.'

'Daar staat weer een verhaal over Rick in. Over hun nieuwe cd die binnenkort uitkomt en ook over z'n vriendin.'

Tosca slikte. 'Het was uit, zei hij.'

'Wie weet wat waar is,' zei Mijke.

'Wat staat er dan?' vroeg Tosca.

'Je mag hem wel van me lenen,' bood Mijke aan. 'Ik heb hem al uit. Moet je even meefietsen.'

Tosca schudde haar hoofd. 'Ik koop er zelf wel een.'

Thuis liep ze met de pas gekochte *Hitkrant* meteen door naar haar kamer en even later staarde ze naar een foto van Rick die wijdbeens op het toneel stond en vol overgave zong. Zijn ogen waren dicht en beide handen had hij om de microfoon gevouwen. Tosca keek naar de handen die haar hadden gestreeld. Ze had hem van heel dichtbij gezien, maar hij leek niet op zichzelf. En het deed haar niks meer.

Ja, toch: hoe had ze het kunnen doen?

Als ze Mijke alles zou vertellen, schoot door Tosca heen, zou ze het dan beter snappen? Zou ze het dan wel geloven? Of zou dat helemaal gezichtsverlies betekenen?

O, Mees, kreunde ze ineens.

Er stond ook een foto van de hele band in, maar met zo veel tegenlicht dat je de gezichten niet goed kon zien. Het was een mooi sfeerplaatje, meer niet. En er was een fotootje van Rick met zijn arm om een meisje heen dat lachend de camera inkeek. Het was een oude schoolfoto uit de tijd dat ze elkaar pas kenden. Er waren problemen in hun relatie geweest die nu overwonnen waren, schreef het blad. En tot slot meldde het artikel dat de tournee een groot succes was: volle zalen en goede recensies.

Tosca smeet het tijdschrift in een hoek en ging naar beneden. Eerst maar een uurtje achter de computer, kijken of ze mail had en dan een beetje MSN-en.

Mees, had ze maar een mailtje van Mees, dacht ze. 'Lieve Tosca, ik heb je eindelijk gevonden.' Of: 'Surprise! Hier ben ik dan.' Of nee, zo: 'Ik zou graag willen weten hoe het met je is. Je ogen lieten me niet los. Ik moet aldoor aan je denken en na enige research...'

Wat kon zij nog voor speurwerk verrichten? Pas over twee weken kon ze verder zoeken in X. Tot die tijd...

Alsof er een schok door haar heen ging, wist ze het: via MSN! Natuurlijk! Ze kon online gaan zoeken! Nee, niet alleen via MSN, ze zou bij elke chatbox die ze kon vinden gaan vragen: Wie kent Mees? Waar woont hij? Wat is zijn e-mailadres?

Haastig logde ze in. Eerst maar via haar eigen box. Met

wie ze ook sprak, ze liet iedereen weten dat ze een jongen zocht die ze tijdens het concert van Brainwave in X had ontmoet.

Toen ze die avond weer op haar kamer kwam en de *Hitkrant* uit de hoek viste, bedacht ze opgewonden dat ze ook een oproep in een tijdschrift kon zetten. De muziekwinkel wilde dan wel geen advertentie plaatsen, de *Break Out!* had een rubriek met oproepen: 'wanted'. Er was een kans dat Mees abonnee was, of anders Julia, of een van Mees' vrienden. Ze ging het direct regelen!

Toen Tosca de volgende dag 's middags thuiskwam, was het eerste wat ze deed, met de zenuwen in haar maag haar mailbox openen. Stel je voor...! Maar er waren geen nieuwe berichten. Daarna ging ze online.

'Ik ben in X bij het concert van Brainwave geweest,' typte ze. 'Daar was ook een jongen, zeventien jaar oud (schat ik), lang en dun, met kort bruin haar en een heel vrolijk gezicht. Hij woont niet in X, maar zijn vader wel. Hij heet Mees. Ken jij hem toevallig?'

Teleurgesteld moest ze uiteindelijk afsluiten. Niemand kende Mees.

Woensdag was er wel een bericht. Daar! Daar stond het! Tosca ging op het puntje van haar stoel zitten: 'Ik ben Mees' stond bij het onderwerp. Haar hart klopte wild toen ze las: 'Hai, lieve Tosca. Daar ben ik dan. Ik ben degeen je zoekt. Ik was bij dat konsert en we hebben fijn gedanst samen. Lekker stuk, ik wil je ontmoetten. Zeg maar waar en wanneer. Dag, Mees.'

Tosca staarde naar de letters op het scherm. Ze wist het

al voor ze het bericht uit had: dit was Mees niet, dit klopte niet. Zo sprak Mees niet.

Er kwamen meer lolbroeken langs: 'Ik ben Mees nie duhus, maar je lijkt me een toffuh meid en ik wil juh leruh kennuh.'

Ook de volgende dag ontving Tosca verschillende mailtjes van jongens die zeiden dat ze Mees waren. Ze werd er wanhopig van. Zat de goede Mees ertussen? Hoe wist ze dat? Was dit wel de juiste manier om hem op te sporen?

Nee, dus! Hier kwam ze niet verder mee. Was vragen in de chatboxen beter? Maar ook daar sprak ze met verschillende Mezen. Je kon je heel gemakkelijk voordoen als Mees en zó goed kende ze hem nu ook weer niet... Iets afspreken durfde ze niet. Was ze niet al duizend keer gewaarschuwd door haar ouders?!

Op vrijdagmiddag kwamen er weer berichten binnen. Drie waren duidelijk nep. De vierde luidde: 'Dag Tosca. Goed waren ze, hè, de muzikanten van Brainwave? Wat heb ik genoten van de muziek én van de show. En jij? Ik heb van alles genoten. Ook van jou. Jammer dat we elkaar uit het oog verloren. Ik was dan ook zeer verbaasd én verrast toen een vriend van me vertelde dat ene Tosca me zocht. Hier ben ik dan.'

Tosca hapte naar adem en las het bericht nog een keer en nog een keer. Dit was 'm! Dit was helemaal Mees! Dit moest hem zijn! Nóg vijf keer las ze het bericht. Dat 'En jij?' was het overtuigende bewijs. Toen drukte ze op 'Beantwoorden'.

'Lieve Mees, ik heb je gevonden! Wat ben ik blij! Ik heb je zó gezocht. Het kan helemaal niet, maar ik heb je zelfs gemist. Ik heb zo'n spijt hoe het gelopen is en ik wil je zo veel uitleggen en zoveel vragen. Maar niet via de mail. Kunnen we ergens afspreken? Dag, verlangend je te zien, Tosca.' Voor ze op verzenden drukte, herlas Tosca haar eigen woorden. Ze vond ze toch wat overdreven en wiste de zin over dat missen en verlangen.

De rest van de middag wachtte ze ongeduldig. Wanneer kon ze een bericht terug verwachten? Al na een half uur opende ze haar mail, maar er waren geen nieuwe berichten. Om vijf uur 's avonds was er wel een andere Mees, maar die kon ze gerust in de prullenbak gooien.

Nog drie keer maakte ze verbinding met Hotmail en om negen uur pas was hij er: 'Lieve Tosca, ik wil je graag ontmoeten. Zeg maar waar en wanneer. Mees.'

Zie je wel, dacht Tosca. Heel betrouwbaar: hij liet het aan haar over. Wat zou ze voorstellen? En waar? En ze moest natuurlijk iemand meenemen. Voor als het toch niet echt Mees was. Of zou ze alleen gaan? Als hij het wel echt was, zou hij teleurgesteld kunnen zijn dat ze hem wantrouwde. Er was toch wel een plek te verzinnen waar meer mensen waren, waar het veilig was…

Het station! Daar waren Anna en zij tenslotte bekend door hun gereis op vrijdagmiddag en zondagavond. Het station van Y had een restaurant, of hoe noemde je dat op een station. Daar hadden ze wel eens gezeten om op een vertraagde trein te wachten.

En iemand meenemen? Mijke? Dan moest ze haar eerst méér vertellen. Maar ze had een probleem met Mijke. Op school gingen ze gewoon met elkaar om, Mijke en zij, en ook Nanet en Esther en zij, en toch was er iets anders dan vroeger. Altijd hadden Mijke en zij dingen besproken op de fiets, dus nu ook. Tosca had van de week gevraagd wat er was veranderd.

'Bij alles wat je nu zegt, vraag ik me af of het waar is,' had Mijke geantwoord.

Anna! Anna kon ze meenemen! Had ze niet al een paar keer gedacht dat die zo groot werd? En Anna was de enige die volledig op de hoogte was.

Tosca stuurde Mees een voorstel voor hun ontmoeting. Al een kwartier later wist ze dat hij zou komen. Morgen al!

22

'Ik ben zó zenuwachtig!' zei Tosca.

Veel te vroeg zaten zij en Anna tegenover elkaar aan een tafeltje voor het raam in de restauratie van het station in Y met een groot glas Ice Tea voor zich. Tosca had Pringles meegenomen die ze voor zich op tafel zette.

'O, lekker!' riep Anna uit.

'Nee, afblijven.' Tosca legde haar hand op de grijpvingers van Anna. 'Dat is voor als Mees er is. Die is daar dol op.' Het gaf haar ook een soort rust, die lange, groene bus op tafel: iets van Mees was alvast dichtbij.

Hoe zou hij reageren? Wat verwachtte ze eigenlijk? Toen ze elkaar het laatst hadden gezien, was zij zo dronken als een kanon. En hoe zou hij reageren als hij Anna zag?

'Zie je hem al?' vroeg Anna. Ze namen allebei kleine slokjes van hun Ice Tea en keken door het raam in de richting van de perrons. Het was niet erg druk, af en toe kwam er iemand voorbij.

'Het kan nog niet, zijn trein komt pas om half drie aan,' antwoordde Tosca.

'Blijven we hier zitten als hij er straks is?'

'We zien wel, misschien lopen we de stad wel in.'

Op de vraag van hun moeder wat ze in de stad gingen doen, had Tosca gezegd dat ze kleren wilde kopen. Zo vaak gingen ze niet samen shoppen op zaterdagmiddag,

Anna en zij. Hun moeder had geglimlacht en hun wat extra geld in handen gestopt. 'Koop hier maar een ijsje van. Veel plezier!'

'Je moet ook kleedgeld vragen,' zei Tosca nu. 'Dat is gemakkelijk: je hoeft niet meer te bedelen om iets nieuws en je kunt lekker kopen wat je zelf mooi vindt. Geen zeurende mama in de winkel: 'Tos, kijk nou eens wat een énig bloesje. To-ós, pas déze nu eens, alleen maar proberen, je zult zien dat hij je énig staat...'

Anna lachte.

'Ik schaamde me altijd rot als ik met haar de stad in was,' zei Tosca. 'Dan dacht ik dat iedereen op ons lette.'

'Kijk!' zei Anna ineens. 'Volgens mij is de trein er.'

Het was ineens druk: de meeste mensen gingen de stationshal door naar de uitgang, een deel liep via de zijuitgang naar fietsenstalling, een aantal mensen moest overstappen en liep door naar een volgend perron en een groepje stapte op de winkeltjes af. Ook kwamen er mensen de stationsrestauratie binnen.

Tosca's blik vloog langs de gezichten van al die mensen. Zou ze hem wel herkennen, bedacht ze met schrik. Hoe lang hadden ze elkaar nu helemaal meegemaakt? Maar nee, ze zou zich niet vergissen. En hij zou haar toch ook moeten herkennen. Waar bleef hij dan?

Ook Anna keek mee. 'Is die het? Die dan? Kijk, hij! O, jammer dat hij het niet is.'

De drukte dunde uit. Tosca keek binnen om zich heen. Was hij hier al? Nee, ook niet. Ze richtte haar blik weer naar buiten en zag een jongen van de leeftijd van Mees zoekend om zich heen kijken.

'Die?' vroeg Anna die hem ook had gezien.

'Nee, hij is het niet.'

Maar waar was hij dan wel? Nu was er niemand meer, dus ook geen Mees. Hadden ze toch bij de trein moeten gaan staan? Maar ze hadden hier afgesproken, in het restaurant.

'Misschien heeft hij de trein gemist,' zei Anna aarzelend.

'Dan wil ik wel wachten, hoor, tot de volgende trein aankomt,' zei Tosca. Ze was zó gaan zitten dat ze zicht had op de ingang en ze zag de jongen van zonet naar binnen komen. Hij keek om zich heen, stapte op een meisje af en vroeg haar iets. Het meisje schudde haar hoofd. Daarna keek hij weer in het rond.

O nee, hè, dacht Tosca en ze kromp in elkaar.

'Wat is er?' vroeg Anna.

Maar hij stond al voor hen.

'Hallo,' zei hij. 'Mag ik jullie iets vragen? Is één van jullie Tosca?' Zijn stem was zacht en beleefd en hij leek in de verste verte niet op Mees. Blond, blauwe ogen en twee keer zo dik.

Anna keek Tosca aan en Tosca keek naar haar zusje, terwijl ze kort met haar hoofd schudde. Pas toen antwoordde ze: 'Nee!'

Maar hij trapte er niet in. 'Ik denk het toch wel,' zei hij lachend. 'Dan hebben wij een afspraak met elkaar.'

'Ik heb helemaal niks met jou afgesproken,' zei Tosca zo pinnig mogelijk. 'Ik heb een afspraak met Mees.'

'Ik bén Mees.'

'Misschien heet je echt zo, maar je bent niet de Mees die ik zoek.'

'Jij hebt toch een mail gestuurd? Half drie op het station van Y?' hield de jongen aan.

'Jawel,' zei Tosca, 'maar hij was niet voor jou bestemd. Ik heb me vergist.' Haar hart klopte snel en teleurgesteld. Hij was Mees niet... Hoe kwam ze nu met goed fatsoen van deze jongen af?

Hij ging bij hen aan de tafel zitten. 'In ieder geval,' zei hij, 'hebben we elkaar getroffen en ik vind het wel leuk je te leren kennen.'

Tosca stond op. 'Sorry, ik niet. Ik zoek een andere Mees.' Ze griste de bus Pringles van tafel en pakte haar rugzak op van de stoel naast haar. 'Kom, Anna, we gaan.'

Ook Anna stond op, maar de jongen protesteerde: 'Nee, wacht, ik heb niet voor niks die reis gemaakt. Zullen we... Kunnen we...'

Tosca had Anna bij haar arm gepakt en mee naar buiten getrokken. Hij kwam achter hen aan.

'Wacht nou! Tosca, dit is niet fair! Je gaf zelf toe dat we een afspraak hadden. Laten we praten!'

Tosca hield zich doof en trok Anna zo snel mogelijk de stationshal door. Bij de uitgang draaide ze zich toch om.

'Heb je het niet begrepen? Het is een misverstand. Ik zoek iemand anders en ik hoef nu niet iets met jou.'

'Problemen, meiden?' vroeg een voorbijganger. 'Valt hij jullie lastig?'

Alle drie keken ze op van deze onverwachte inbreng. Het was een oudere man met grijs haar die een koffer op wieltjes met zich meetrok. Tosca wist even niks te zeggen.

'Het hangt ervan af...' zei ze toen.

Ze keken de jongen aan.

'Goed, ik begrijp het al,' zei hij en keerde zich om.

Ineens kreeg Tosca toch wel een beetje medelijden met hem. 'Sorry!' riep ze hem na.

Anna had de tegenwoordigheid van geest de man te bedanken.

'Goh, dat vind ik bijzonder, dat er zomaar iemand is die ons helpt, toch, Tos?' zei ze daarna. 'Je hoort altijd dat mensen zich niet meer met anderen durven te bemoeien!'

Ze liepen de straat op. Tosca keek nog even achterom, maar de jongen was echt verdwenen. Ze zuchtte diep.

'Jammer, Tos, dat hij het niet was. Hij leek best een leuke jongen. Waren we niet een beetje bot tegen hem? Misschien had hij echt wel een eind in de trein gezeten.'

Ze liepen bij het station vandaan, in de richting van het centrum. Tosca luisterde niet echt naar Anna, die maar door bleef kletsen.

Ze had zich vergist! Hij was Mees niet. Ze had toch echt gedacht dat het mailtje van de goeie Mees was. Nu was ze weer even ver... O, Mees! Zou ze hem nog kunnen vinden? Hoe moest ze hem vinden?

Misschien had Mees via via begrepen dat zij hem zocht en had hij gedacht: die Tosca kan de boom in. Misschien was hij vorig weekend wel expres binnengebleven om haar niet per ongeluk tegen het lijf te lopen. Tosca rilde, ondanks de zonneschijn in een vrolijke zaterdagmiddagstad.

Anna trok nu aan Tosca's arm. 'Tosca, luister je wel? Wat doen we nu?'

Mees vergeten, dacht ze, misschien was dat het beste. Hem helemaal uit haar hoofd zetten.

Ze keek Anna aan. 'We gaan kleren passen en bij de Hema een grote ijscoupe eten, oké?'

153

23

Dat kon ze wel denken, maar zo gemakkelijk was het niet om Mees uit haar hoofd te zetten. Ze wist nog van Mark hoeveel moeite het haar had gekost om hem 'kwijt te raken'. Maar na een jaar verkering was dat toch wel anders... Ze had Mees een uur en een kwartier gezien, dan moest ze hem toch los kunnen laten? En als hij toch verkering had, dan was het helemaal hopeloos voor niks...

Zo bleef ze met Mees bezig. Het hele weekend spookte hij door haar hoofd. Ze ging niet meer achter de computer, ze had geen zin in valse hoop.

Hoe kon ze haar gedachten afleiden van Mees? Lezen wou ze niet, en huiswerk maken hielp ook niet echt, al had ze genoeg te doen. Het gevoel te stikken dreef Tosca die zondagmiddag naar buiten. Ze pakte haar fiets en duwde zomaar een eind de trappers rond, het maakte niet uit waar naartoe.

Het was mooi weer, dus er waren veel meer mensen onderweg, vooral oudere mensen en gezinnen met kinderen. Niemand van haar leeftijd was zo gek om op zondagmiddag een eindje te gaan fietsen. Het was ook niet bepaald stoer en ze hoopte maar dat ze geen bekenden tegen zou komen. Nou ja, hadden ze weer wat nieuws om over te roddelen. Het was gewoon lekker om haar frustraties van zich af te trappen.

Na twee uur reed ze weer in de richting van hun dorp. Ze passeerde het dierenasiel waar Nanet werkte. In een opwelling sloeg Tosca de weg naar het asiel in. Of zou er niemand zijn op zondag? Maar dat leek wat onwaarschijnlijk: die beesten moesten vandaag toch ook eten hebben en uitgelaten worden?

Het geblaf van de honden kwam haar tegemoet. Wat een herrie! Zij had niet veel met beesten, maar Nanet dus wel. Die wist ook al wat ze later wilde doen: iets met dieren. Ze werkte hier als vrijwilliger en vond het geweldig.

Tosca zette haar fiets weg en zag die van Nanet staan. Die was er dus. Ze liep op het eerste gebouw af. Mocht ze zomaar naar binnen gaan? Misschien kon ze er beter eerst omheen lopen.

Daar waren de hondenhokken waar al dat geblaf uit kwam. Voor een van de hokken liet Tosca zich door haar knieën zakken en een jong hondje kwam enthousiast kwispelend op haar af.

'Kan ik wat voor je doen?' klonk het plotseling achter haar.

Tosca kwam overeind en keek in het gezicht van een jonge vrouw. Ze had een vale spijkerbroek en laarzen aan.

'Ik kwam toevallig langsgefietst. Mijn vriendin Nanet werkt hier. Waar kan ik haar vinden?'

'Nanet? Die is aan het schoonmaken bij de poezen. Dat is dáár.' De vrouw wees.

Tosca liep op het lage gebouw af en zodra ze binnenstapte, rook ze een muffe, weeïge geur. Het was een beetje schemerig en er werd stevig gemiauwd.

'Hé, die Tosca! Wat een verrassing! Wat doe jij hier?'

In de hoek stond Nanet, ook al met laarzen aan, en een niet al te frisse spijkerbroek. Ze had een jong katje op haar arm. Het deurtje van het hok waar hij thuishoorde, stond open. 'Is het geen schatje?'

'Best wel,' glimlachte Tosca. 'Ik was wat aan het fietsen en toen kwam ik langs. Ik dacht ineens: ik ga eens kijken wat jij hier altijd uitspookt.'

'Leuk!' Nanet glunderde. 'Ik ben bijna klaar met schoonmaken. Je mag hem wel even vasthouden!'

Nou, zo'n kleintje moest nog wel lukken, dacht Tosca, als het maar niet te lang was. Hij vond het kennelijk prettig. Wat een luid geronk voor zo'n ukkie! Grappige oortjes, wel. Ondertussen luisterde ze naar Nanet, die uitlegde wat ze hier allemaal deed en wat de katten aten.

'En nu moet ik de honden nog uitlaten,' zei Nanet even later, 'dan ben ik klaar. Zin om mee te gaan?'

Ach ja, waarom niet. Nanet nam er drie mee aan de lijn en twee liepen los mee. Tosca dacht aan de vriend van Nanet. 'Vindt Roel dat wel goed dat je zo veel hier bent?'

Nanet knikte. 'Hij heeft zijn voetballen en het fietsen. En hij heeft ook een baantje.'

'Zou jij niet liever iets doen wat geld oplevert?'

'Ik vind dit leuk,' antwoordde Nanet. 'En ik heb niet zo veel nodig.'

Tosca wees op de honden die bij de volgende hoek automatisch rechts afsloegen. 'Weten ze waar ze naartoe moeten?'

'Ja, we lopen vaak hetzelfde rondje.'

Een tijdje zwegen ze en Tosca dacht aan wat Nanet had verteld over haar eerste keer, die vrijdagmiddag op het

grasveld naast de school. 'Nanet, mag ik iets vragen?'
Nanet lachte. 'Dat doe je de hele tijd al.'
'Nee, ik bedoel over Roel en jou.'
'Jawel.'
'Hebben jullie het nou al vaker gedaan?'
Opnieuw liet Nanet een vrolijk schaterlachen horen.
'Die is goed! Natuurlijk, wat dacht jij? Het is onze nieuwe hobby!'
Tosca keek van opzij naar haar vriendin. Ze straalde iets uit wat je op school niet zag, dacht ze bijna jaloers. Ze zag er zo *gelukkig* uit. Ja, dat was het. 'Het gaat goed met jou, hè?' zei ze.
Nanet grijnsde breed. Toen floot ze naar de honden. 'Zit! Wacht!' Ze stonden bij de stoeprand en de honden moesten wachten voor ze mochten oversteken. 'Ja, toe maar!'
Aan de overkant van de straat liepen ze een onverharde weg in langs het weiland. Hier konden de honden vrij spelen.
'Ja, we doen het nu heel vaak,' zei Nanet nog een keer. 'Het wordt alsmaar fijner, moet ik zeggen. We leren er steeds wat bij, we durven meer, we voelen ons meer op ons gemak, hoe zal ik het zeggen? Die stomme eerste keer hebben we gelukkig gehad.'
Tosca keek haar vriendin aan. 'Die stomme eerste keer? En je was zo tevreden?'
Nanet knikte. 'Jawel, ik vond het geweldig dat we het gedaan hadden. Maar zo leuk was het uiteindelijk niet.'
'En je zei...'
'Ja, weet ik. Ik vond het toen ook best goed. Nou ja,

een beetje dan. Maar achteraf…' Een stomp tegen Tosca's bovenarm moest de woorden kracht bijzetten. 'Je gaat het toch niet gelijk doorvertellen, hè?'

'Wat?'

'We hebben nogal gestunteld met het condoom. En ik moest van de zenuwen zó vreselijk giechelen dat Roel verslapte. En toen dat ding eenmaal zat… Roel kwam al klaar voor hij goed en wel in mij was.'

Tosca hapte naar adem. 'Echt?'

'Niet verder vertellen, hoor. Maar hoe ging dat dan bij jou?'

'Dus je gelooft het nu wel?' wilde Tosca eerst weten.

'Is het écht écht waar?' stelde Nanet de volgende vraag. Tosca knikte.

'Dan moet ik het toch wel geloven,' zei Nanet langzaam. 'Jij bent anders nooit iemand die met verhalen aan komt zetten. Sorry, maar het kwam gewoon zo onvoorstelbaar over.'

'Dat snap ik best,' gaf Tosca toe. 'Maar ik vond het wel moeilijk dat jullie me niet geloofden.'

'Ik spreek nu alleen voor mezelf, hoor,' zei Nanet snel. 'Maar hoe ging het bij jou?' vroeg ze nog een keer.

'Het ging ook heel snel,' zei Tosca. 'Te snel, vond ik. Is dat normaal?'

'Volgens Roel wel… Heel veel jongens hebben dat. Het wordt wel beter, hoor, als de zenuwen er een beetje af zijn. Het is fijn om te ontdekken wat je allemaal kunt doen. Een beetje experimenteren…' Nanet keek dromerig omhoog waar een groep spreeuwen luid schreeuwend overvloog.

'Maar hoe deden jullie… ik bedoel…' vroeg Tosca. 'Was hij lief voor je? Was hij ook bezig om het voor jou een beetje fijn te maken?'

'Ja, logisch. En weet je, het geeft echt iets extra's aan je relatie. Hoe moet ik het zeggen? Dat we dat samen hebben… Ja, ik hou zo veel van Roel!' Nanet wees met haar hand. 'Kijk, we nemen deze weg en dan lopen we zó terug.'

Tosca zweeg. Ze moest iets wegslikken. Zij had het gedaan met iemand om wie ze niks gaf. Nou ja, Rick was haar idool. En een beetje verliefd was ze ook wel. Maar anders natuurlijk dan toen op Mark en houden van, op de manier waar Nanet het nu over had… Nee.

'Was hij niet lief voor jou?' vroeg Nanet.

'O jawel,' zei Tosca zo luchtig mogelijk. 'Het was alleen zomaar voorbij.' Meer kon ze niet zeggen. Het toegeven aan jezelf is nog wat anders dan het aan een ander te vertellen.

24

Het eerste wat Tosca deed toen ze thuiskwam, was alle muziek van Rick en Brainwave opbergen, ver weg onder in haar kast. Ze wilde hem niet meer horen en ze wilde ook niet meer naar hem kijken. De posters scheurde ze van de muur en ze plakte een paar nieuwe uit de *Hitkrant* op de lege plekken. De rest van het tijdschrift gooide ze bij het oud papier.

Ze wilde een punt zetten achter alles wat er gebeurd was. Ze had haar eerste keer verknald, maar ze kon er nu niks méér aan doen dan alles achter zich laten. Ze zou zich vanaf nu nog maar op één ding concentreren: school. Er moest nog een heleboel gebeuren, ze had een beetje een achterstand opgelopen door al het gedoe en ook al hoefde ze niet bang te zijn voor haar overgang, ze moest nog wel dingen inleveren.

Het was een korte week met een extra lang weekend: die donderdag was vrij vanwege Hemelvaartsdag. Het was prachtig weer, maar Tosca zat binnen te leren. Vanuit de tuin zweefde het vrolijke gelach van Anna en haar vriendinnen Tosca's openstaande raam binnen. Hun stemmen gingen in volume op en neer van gemompel tot schaterlachen. Tosca voelde zich bijna jaloers: zij hadden het allemaal nog voor zich. Moest ze Anna niet waarschuwen dat ze beter uit zou kijken bij háár eerste keer? Niet doen als je te veel gedronken hebt, zou ze haar willen zeggen, en alleen met een jongen waar je wat mee hebt!

En zo kwamen haar gedachten, ondanks haar voornemen, toch regelmatig weer terug op die avond. En ook Mees spookte er nog rond.

Tosca was niet blij met het mooie weer. Ze wist dat het kinderachtig was, maar het klopte niet met hoe ze zich voelde. Het zou nu herfst moeten zijn, met veel wind en regen, onweer en hagel. Donkere wolken en dreigende luchten. Dan kon ze dáár tegen tekeergaan. Dat was gemakkelijker dan tegen jezelf.

Had ze maar iemand die ze de schuld kon geven! Maar nee, ze had het echt helemaal zelf gedaan. En als ze nou niet had gedronken? En als ze nu niet met Rick mee was gegaan? Als als als... Daar had je dus niks aan. Ze kon het niet terugdraaien.

Zou ze Mees ooit terugzien? Of zou ze moeten wachten tot het toeval hen weer bij elkaar bracht? Wat kon ze nog verzinnen om hem op te sporen?

Tosca schoof haar boeken aan de kant. Ze legde haar armen op tafel met haar gebogen hoofd erop. Zie je wel, zo ging het steeds: ze kwam aldoor weer uit bij Mees en Rick.

Ze was blij dat Nanet haar nu geloofde. Maar wat had ze gezegd? 'Ik spreek alleen voor mezelf, hoor.'

Tosca veerde overeind. Boven haar bureau wist ze de foto te hangen van hen vieren tijdens de schoolreis van vorig jaar: Nanet, Esther, Mijke en zijzelf, de armen om elkaar heen geslagen, breed lachend en met de zon in hun ogen.

Ja, dat had Nanet echt zo gezegd! Dus de andere twee...

Met een ruk schoof ze haar bureaustoel naar achteren.

Ze moest met Mijke praten. Dit kon zo niet langer. Altijd hadden ze samen alles gedeeld, nooit eerder waren ze zo koel naar elkaar geweest.

Gelukkig was ze thuis. Mijkes moeder wees op de tuin, waar Mijke op de schommelbank zat, haar hoofd in de schaduw van het zonnescherm, haar blote benen in de zon. 'Nou, ik dacht al,' begroette Mijke haar. 'Die komt nooit meer eens even langs.'

Tosca ging naast haar zitten. 'Wat lees je?'

'Och, een flutboekje, even wat tegengif tegen de Engelse literatuur.' Mijke wees op het boek dat opengeslagen op het gras lag. 'Ik was er zo zat van. Ik had even behoefte aan wat simpele romantiek. Krijgen ze elkaar of krijgen ze elkaar niet? That's the question.'

Tosca lachte. 'Dat is helemaal niet de vraag. Je weet al van tevoren dat ze elkaar krijgen!' Was dat in het echt ook maar zo, dacht ze.

'Nee,' vond Mijke. 'Dat is wél de vraag: daar draait alles om, dus is dat helemaal het thema. Hebben we nog van Wijers geleerd, weet je wel? Verhaalanalyse! Heb jij je Engelse boek al uit?'

'Nee.' Tosca zuchtte. 'Het wil niet zo lukken.'

'Je bent ook veel te warm gekleed!' vond Mijke. 'Het is bloot weer, hoor.'

'Ik zat binnen, op mijn kamer is het niet zo warm,' verdedigde Tosca zich. 'Maar eh... Ik wil je eigenlijk iets vertellen. Je weet het voor een deel al, maar ik moet er nog wat bij vertellen.'

'Over Rick?'

'Ja, over Rick.'

Mijke keek haar nieuwsgierig aan. 'Wat dan?'

Tosca begon opnieuw aan haar verhaal van het concert, alleen liet ze dit keer niets weg.

'Goh,' zei Mijke toen Tosca uiteindelijk zweeg. 'Het is dus toch waar.'

'Ja.'

'Maar er was eigenlijk niks aan.'

'Nee...'

'Och, meid.'

Toen Mijke haar arm om Tosca heen sloeg, begonnen haar ogen te prikken. Ze wilde het tegenhouden, maar dat lukte niet. Ze snikte het uit. 'Ik heb zo'n spijt!'

De bank schommelde heen en weer en Tosca leunde tegen de troostende arm van haar vriendin. Ze snotterde uiteindelijk: 'Ik ben blij dat ik je nu alles verteld heb.'

'Waarom heb je dat niet direct gedaan?'

'Ik schaamde me rot! Ik was die avond hartstikke teut. Ik was verblind door... hoe moet ik het zeggen. Het was een soort roes, en niet alleen door de drank. Dat ik dat heb kunnen doen!'

Mijkes arm gleed van Tosca's schouder en ze pakte haar handen beet. 'Maar hij heeft je niet verkracht of zo?'

Tosca schudde haar hoofd. 'Nee! Ik wilde het zelf ook. Dat was zo gek: ik heb iets gedaan wat ik op dat moment wel wilde, maar achteraf liever niet gedaan had. Onze checklist, weet je nog? Ik had hem net voor mezelf ingevuld. Drie keer ja, drie keer nee. En ineens was het zes keer ja! Nou ja, vijf keer: de condooms had híj bij zich.'

'Je kon natuurlijk niet weten hoe hij zou vrijen,' zei Mijke.

'Nee, maar hij had wel direct gezegd dat het bij die ene keer zou blijven. Dat vond ik ook wel logisch eigenlijk, voor zo iemand. Maar achteraf voelde het helemaal niet goed. Het betekende niks voor hem.' Ze haalde adem, maar het klonk als een snik.

Mijke knikte. 'Alleen maar seks.'

Tosca veegde met de rug van haar hand langs haar druppende neus. 'Ja, ik was alleen maar goed voor...' Kon ze het nu wel uitspreken? 'Hij gaf niks om mij, hij had helemaal geen aandacht voor mij. Ik was alleen maar een lichaam waar hij zin in had... Ik heb me laten gebruiken...'

En Tosca begon weer te huilen.

Mijke sprong op. 'Ik haal een zakdoek! En wat te drinken. Van janken krijg je een droge keel.'

Tosca probeerde te stoppen met huilen. Ze haalde een paar keer diep adem, terwijl ze met haar voet afzette. Het schommelen maakte haar rustig. Ze keek om zich heen naar de tuin, die uit een groot grasveld bestond met aan beide kanten twee smalle stroken bloemen. Ineens zag ze hoe bijzonder de tuin van haar eigen moeder eigenlijk was.

Even later was Mijke terug. Dorstig dronk Tosca het glas fris in één keer leeg en liet prompt een boer waar ze allebei om moesten lachen. Mijke hield haar een rol koekjes voor.

Tosca nam er één en knabbelde er een hoekje van af. Toen zei ze: 'En ik heb ook nog niks over Mees verteld.'

'Mees?' vroeg Mijke. 'Wie is dat?'

Tosca vertelde het verhaal van Mees, vanaf de muziekwinkel tot aan het thuisbrengen.

'Wat denk je?' zei ze tot slot, terwijl ze de rest van haar koekje opat.

'Wat heb jij stom gedaan!' riep Mijke uit. En ze sloeg onmiddellijk haar hand voor haar mond. 'O, dat is niet aardig. Zo bedoel ik het niet. Maar dat klinkt toch heel wat leuker dan zo'n arrogante zanger!'

'Dus jij denkt...'

'Dat hij jou ook leuk vond! Waarom denk jij dat hij midden in de nacht voor jouw neus staat?! Heb je je dat wel afgevraagd? Hoe laat was het? Dat concert was al lang afgelopen en hij was er nog! Dat kan maar één ding betekenen.'

'Eh...'

'Die heeft op jou staan wachten!'

'Op mij?'

'Dat kan niet anders! Wat romantisch!'

'Ik heb over hem heen gekotst, héél romantisch, ja!' spotte Tosca.

Ze blies een krul uit haar gezicht die op haar voorhoofd kriebelde. Met een diepe frons keek ze naar haar vriendin.

'En Julia dan?'

'Wat je zegt. Zij kan heel goed zijn zusje zijn. Of gewoon, een klasgenoot, een goede vriendin. Dat kan toch, vriendschap tussen een jongen en een meisje?'

'Waarom was hij dan ineens weg, eerder op de avond? Ik heb hem niet meer gezien in de zaal of in de hal. Hij heeft mij toen niet opgezocht.'

'Ja, weet ik veel. Dat moet je hem vragen. Maar hij heeft op jou gewacht, dat kan niet anders.'

Tosca trok nog meer rimpels in haar voorhoofd. Mees, die op haar wachtte. Gek, dat ze daarover niet eerder had nagedacht. Maar haar herinneringen aan die late avond waren zo vaag.

Tosca schudde in verwarring haar hoofd. 'Ik ga ervan uit dat hij van mij baalt. Ik heb laten blijken dat ik hem leuk vond en ben toen met Rick meegegaan. En toen hij mij vond, heb ik over hem heen gekotst. Ik heb zó raar gedaan.'

'En heeft hij jou thuisgebracht, zei je?' vroeg Mijke.

'Ik denk het,' zei Tosca. 'In ieder geval heeft hij geen contact meer gezocht. Nee, joh, ik heb voor hem afgedaan en dat snap ik heel goed.'

'Ga naar hem toe.'

'Ik weet niet waar hij woont.'

'O, dat wordt lastig...'

Een poosje zeiden ze allebei niks. De schommelbank wiegde hun gedachten.

'Sorry,' zei Mijke ineens. 'We hebben verkeerd over je gedacht. Ik dacht echt dat je de zaak wat had aangedikt.'

Wat moest ze daarop zeggen? Tosca deed haar ogen dicht en schrok van wat ze in het schemer van haar dichte oogleden zag, zo duidelijk was Mees' beeld in haar hoofd aanwezig. Ze verlangde ineens heel heftig naar hem. Ze wilde dat ze weer naar die vrolijke ogen kon kijken, weer dat spelletje 'Ik-wil-jou-leren-kennen. En-jij?' kon doen, weer om de beurt een Pringle uit die bus kon pakken terwijl hun vingers elkaar net raakten.

'Misschien waren we ook wel jaloers,' zei Mijke na een korte stilte.

Nu lachte Tosca. 'Nou, dat had niet gehoeven.'

'Nee, dat snap ik nu ook. Ik ben blij dat ik het weet.'

Zou Mijke gelijk hebben wat Mees betrof? Het maakte het er allemaal niet gemakkelijker op.

'En je weet dus niet waar hij woont, die Mees van jou,' zei Mijke.

'Ik heb al gezocht,' zei Tosca en vertelde van haar speurtocht en de mislukte ontmoeting met de jongen die zich als Mees voordeed.

Mijke zuchtte. 'Nog meer verhalen op te biechten? Goh, dit is heel wat interessanter dan allebei mijn boeken bij elkaar.'

'Nee, dit was het.'

'En wat ga je nu doen?'

'Ik had me voorgenomen hem uit m'n hoofd te zetten, maar dat lukt niet zo goed. Morgen ga ik weer naar mijn vader. Misschien ga ik wel weer rondlopen in de buurt waar hij woont. Het zou toch kunnen dat ik hem tegenkom?'

'Toen onze Poekie vermist was, hebben we overal briefjes opgehangen,' vertelde Mijke. 'Je weet wel, aan elke lantaarnpaal van het dorp. "Vermist: een rood katertje, zes maanden oud. Wie heeft onze Poekie gezien? Bel dan naar…" Zou je ook kunnen doen.'

Dat herinnerde Tosca zich nog wel, van dat katje. Mees was ook vermist, zou je kunnen zeggen. Misschien was het niet eens zo'n slecht idee.

'En je hangt het op bij de bakker en de supermarkt,' besloot Mijke. 'Daar mag het vast wel.'

Tosca sprong van de schommelbank. 'Nee, ik weet het al! Mijke, je bent een schat! Je hebt me enorm geholpen. Ik ga er direct mee aan de slag!'

25

Tosca was heel tevreden over het resultaat. Ze had verschillende briefjes geschreven en uitgeprint, maar deze werd het. Ze had de tekst vervolgens verkleind tot A5-formaat, zodat ze twee briefjes op één vel had. Dat scheelde een hoop papier. Ze veegde het zweet van haar voorhoofd. Nu moest ze heel veel exemplaren hebben. Hoe zou ze dat aanpakken? Tig keer uitprinten? Nee, de copyshop was handiger. Dat moest dan morgen.

De volgende ochtend fietste ze naar de stad om haar tekst te vermenigvuldigen. Het was lastig dat ze bij haar moeder geen plattegrond van X had. Ze wist nu niet uit hoeveel straten de muziekbuurt bestond. Eén A4'tje voor twee huizen. Het was sowieso een gok hoeveel kopieën ze moest laten maken, want op de plattegrond kon ze natuurlijk niet zien hoeveel huizen er per straat waren. Nou ja, ze kon morgen altijd bij laten maken.

Ongeduldig zat ze die avond met Anna in de trein. Toen ze met haar moeder in de stationshal in de rij stond voor een kaartje, werd haar blik naar de restauratie getrokken. Ze dacht aan de jongen die Mees niet was. Wat had hij zich voorgesteld van hun ontmoeting? Voor hem was het een soort blind date. Was dat nog maar een week geleden? Maar dat betekende... Natuurlijk! De nieuwe *Break Out!* moest nu wel uit zijn! Die kwam elke twee weken, op donderdag of op vrijdag. Ze keek op haar horloge. Het kon nog wel als het niet te druk was bij de kiosk.

'Mam,' zei ze, 'ik ga nog even snel een tijdschrift kopen, hoor.'

Handig dat haar moeder altijd overal op tijd was. Als hun vader hen op zondagmiddag naar de trein bracht, moesten ze rennen en haalden ze hem op het nippertje.

Anna liep mee. Tosca liet haar blik zoekend over de tijdschriften gaan. Daar! En inderdaad was dit het nummer van 21 mei. Dat was gisteren.

Anna koos voor haar favoriete meidenblad en ze rekenden af. Met zijn drieën liepen ze naar de trein, waar hun moeder hen zoende. 'Dag, meiden, tot zondag.'

Zou ik Mees dan hebben gevonden? vroeg Tosca zich af.

Ze zochten een plaatsje en Tosca bladerde snel door het tijdschrift. Waar stonden de oproepen? Daar! Ja, kijk, hij stond erin! 'Mees, je krijgt nog geld van me voor het concert van Brainwave! Bedankt voor het thuisbrengen. Bel je me? 06-11119988 Tosca.'

'Anna, kijk eens?' Tosca hield haar zusje het blad voor.

'Wauw! Slim van je,' zei ze. 'Spannend!' Haar ogen glommen. Tosca had Anna nog niks verteld over haar huis-aan-huisactie. Dat deed ze nu. Het ontlokte Anna een heel diepe zucht. 'Ik word steeds nieuwsgieriger naar die Mees van jou,' zei ze.

'Ho!' remde Tosca haar af. 'Hij is niet van mij hoor, en misschien wordt hij ook wel nooit van mij.'

Daar moest ze zelf ook van zuchten. Het idee dat hij misschien niet zou reageren, maakte haar bijna misselijk. Dan kon het zijn dat hij niet gevonden wilde worden of dat haar oproep hem toevallig nooit had bereikt. Dat zou ze nooit weten... En dan zou ze ook nooit weten of het klopte wat Mijke zei, over dat hij haar ook leuk vond.

Tosca keek voor de zoveelste keer naar het landschap dat om de veertien dagen op vrijdag en zondag voorbij-flitste. Station, stad, nieuwbouwwijk, industrie, weilanden, koeien, een stuk bos, industrie, nieuwbouwhuizen, iets grotere stad, station. En zo veel mensen die in- en uit-stapten. En maar ééntje was belangrijk. Waar was die ene?

Zou hij nu ook ergens in de trein stappen? Waar woon-de hij met zijn moeder? Was hij nu ook op weg naar zijn vader? Of kwam hij later pas? Op zaterdagmorgen? Nee, dat kon niet, dan was hij niet die zaterdag van de 25e al voor negenen bij de muziekwinkel.

Misschien, héél misschien, zat hij ook in deze trein. Tos-ca wist dat het te toevallig zou zijn, maar nu ze dit een-maal had gedacht, kon ze niet meer rustig blijven zitten.

'Ik ga even een eindje lopen,' zei ze tegen Anna. Die keek gek op, maar ze hoefde haar zusje niet alles te ver-tellen, vond Tosca.

Wankelend liep ze door het treinpad, tussen reizigers en bagage door, helemaal naar het einde van de trein. Ze kwam terug en liep door naar het andere eind. De trein zat vol, maar niet met Mees.

Haar hoofd was wel vol Mees. Toen Tosca weer op haar plek tegenover Anna zat, bedacht ze dat het bijna licha-melijk pijn deed, dat verlangen naar Mees. Zou hij nu ook zoiets voelen? Zou hij nog wel eens aan haar denken? Voor de honderdduizendste keer ging ze de gebeurtenissen van zaterdagavond 25 april langs, maar nu vanuit het perspectief van Mees. Wat kon hij allemaal gedacht, gevoeld hebben? Dat wist ze nooit zeker natuurlijk, niet zoals hij het echt had ervaren. Ze wilde het zo graag uit zijn mond horen. Ze wilde hem zo wanhopig graag vinden.

Lusteloos bladerde ze door de *Break Out!*. Gelukkig niks over Brainwave deze keer. Zou Mees een abonnement hebben? Zou iemand die hem kende de juiste Mees erin herkennen, zodat die hem kon waarschuwen? Ineens twijfelde ze aan haar tekst. Er stond natuurlijk niks in over zijn uiterlijk en er waren vast meer Mezen. Nu moest iemand toevallig weten dat hij naar Brainwave was geweest. Jammer dat de *Hitkrant* geen advertenties plaatste.

In X stapten ze uit. Tosca keek om zich heen. Stel dat Mees later in hun trein gestapt was... Of uit een andere trein kwam... Hun vader was er nog niet, zagen Tosca en Anna toen de meeste passagiers van de perrons verdwenen waren. Hij kwam wel vaker te laat. Mooi, dan konden ze in de hal op hem wachten en was de kans groter dat ze Mees zouden treffen als hij nu ook aankwam.

'Dat kan ik ook nog doen,' zei Tosca tegen Anna, terwijl ze naar de drukte om hen heen keek. 'Als mijn zoekactie van dit weekend niks oplevert, ga ik gewoon over twee weken eerder naar papa toe en dan ga ik hier de hele middag en avond op de uitkijk staan.'

Anna maakte een hoofdbeweging die wel eens kon betekenen: jij bent gek.

'Niet iedereen gaat met de trein,' zei ze. 'Misschien wordt hij door zijn moeder met de auto gebracht. Daar is pap!'

Praktische Anna, dacht Tosca en zuchtte weer eens.

Na het eten ging ze direct op pad. De stapel briefjes had ze in een stoffen tas gedaan die aan lange lussen over haar schouder hing. De plattegrond van de muziekbuurt zat in haar hoofd, maar voor de zekerheid had ze de kaart ook bij zich gestoken. Haar mobiel zat voor het grijpen in haar broekzak. Er kón ieder moment gebeld worden.

Ze had een tijd naar de plattegrond gekeken en een handige route uitgestippeld. Hier beginnen, dan de opera's, daarna de instrumenten en tot slot de componisten.

Het was bewolkt, maar niet koud. Wat ze eerder had gedacht, vond ze nu weer: het was een rustige buurt met mooie huizen. Er was weinig verkeer op deze vrijdagavond. Er speelden kinderen buiten, en hier en daar werd nog wat in de tuin gewerkt. De grootste huizen stonden aan de componistenstraten of -lanen, maar ze begon met de kleinere straten, de pleintjes en de woonerven. De vreemde Italiaanse namen waren aanduidingen hoe snel een muziekstuk gespeeld moest worden, wist ze nu. 'Andante' betekende matig snel, 'Lento' langzaam en 'Vivace' levendig. Je zou er maar wonen: Lento 15. Ook aan de straten die muziekinstrumenten waren, stonden kleinere huizen, maar de hele buurt straalde een zekere klasse uit.

Tosca deed maar net of ze een folderwijk had. Gelukkig kende niemand haar hier. Nou ja, twee mensen kenden haar wel en die wilde ze nou juist ontmoeten! De rest mocht van haar denken wat ze wilden.

Ja, ze werd nagekeken. Wat ze in haar hand had, was natuurlijk geen folder. Had ze het briefje misschien groter moeten maken, en dan dubbel moeten vouwen? Nee, het was wel goed zo, ze was anders een kapitaal kwijt aan kopieerkosten. Ze had al snel in de gaten dat ze morgen eerst bij moest laten maken.

Een paar keer maakte ze mee dat iemand net de deur uitging of in de tuin bezig was en het van haar aannam. De eerste keer dat het direct werd gelezen, voelde Tosca zich wel wat opgelaten. Maar de reacties waren hartverwarmend. 'Ben jij zó op zoek naar een jongen? Wat romantisch! Ik kan je jammer genoeg niet helpen, ik ken hem niet. Veel succes, ik hoop dat je hem vindt.'

'Dat iemand dat voor je over heeft, geweldig! Je moet een bijzonder meisje zijn en hij een bijzondere jongen.'

'En dat is dan de jeugd van tegenwoordig, waarover zo veel geklaagd en gemopperd wordt?! Kom er maar eens om tegenwoordig, dit is buitengewoon.'

Ondertussen gaf Tosca haar ogen goed de kost. Elk huis kon het huis van Mees zijn. Waar ze kon, gluurde ze naar binnen, ze las ieder naambordje in de hoop ineens op te veren: ja, dat is ook zo, Mees heeft toch zijn achternaam genoemd, maar ze was het helemaal vergeten: Mees heet Jansen of Faber of Korf. En steeds raakte ze haar mobiel even aan, alsof ze zo een telefoontje kon afdwingen.

Na twee uur lopen waren haar briefjes op en haar voeten moe. Ze had nog ruim een halve wijk te gaan, schatte ze. Morgen moest ze een nieuwe, grotere stapel briefjes laten kopiëren en dan terug naar de muziekbuurt.

Nu had ze geen andere keus dan de weg naar huis. Ze nam haar mobiel in haar hand, als een talisman, als een houvast, als een laatste strohalm. Ze kon onmiddellijk reageren als Mees belde.

Maar vooralsnog zweeg hij.

HET VERHAAL VAN MEES

26

Twee weken had de mobiel van Mees gezwegen. Nee, dat was niet waar: Julia belde om te horen of het al beter met hem ging, vrienden van school belden over hun proefwerken en zijn vader belde ook zomaar een keer. Maar hét telefoontje waar hij zo naar verlangde, bleef uit. Het was twee weken geleden dat hij briefjes met zijn naam en telefoonnummer in X had achtergelaten. Ongeduldig had hij gewacht tot de tijd voorbij was. Nu zat hij weer naast zijn moeder in de auto, op weg naar X. Mees kon wel met het openbaar vervoer, maar dat kostte meer tijd. En vandaag had hij haast. Hij wilde zo snel mogelijk weer in X zijn. Dichter bij haar, zo voelde hij dat.

Vanavond zou hij zijn kroegentocht hervatten en morgen ging hij de stad weer in. En naar de muziekwinkel. Dat had hij zich de vorige keer bedacht toen het al te laat was om er nog naartoe te gaan. Maar nu zou hij gaan vragen of hij ook daar een briefje met zijn naam en telefoonnummer mocht achterlaten.

Julia en haar vriend gingen voor de gezelligheid met hem mee, vrijdagavond. Die zagen het wel zitten, een kroegentocht. Het was best een gezellige avond, met als hoogtepunt het gesprek over seks. Mees had het er niet expres op aangestuurd, maar ineens hadden ze het erover. En toen had Mees van de gelegenheid gebruikgemaakt.

'Juul, of misschien weet jij dat ook wel, Paul, ik weet niet hoeveel ervaring jij met meisjes hebt, maar hebben meisjes soms minder behoefte aan seks dan jongens?'

Paul lachte, waarop Julia haar vriend een elleboogstoot gaf. Serieus gaf ze Mees antwoord: 'Ik denk het niet, maar meisjes zijn gewoon anders.'

'Hoezo anders?'

'Voor ons zijn liefde en romantiek belangrijk. En daarna pas seks.'

'Wij willen vooral uitproberen, hè Mees,' zei Paul. 'De liefde komt later wel.'

'Hou je dan niet van me?!' zei Julia quasi-verontwaardigd.

Paul gaf haar een zoen vol op haar mond. 'Tuurlijk, dat weet je best. Ik bedoel dat we dat best los van elkaar kunnen zien.'

'Tja,' zei Julia simpelweg, 'en bij ons liggen seks en gevoelens heel dicht bij elkaar. Zo zitten wij nou eenmaal in elkaar.'

Tosca leek hier in de stad geen eigen leven te leiden. Ze had in ieder geval geen sporen achtergelaten. Dat ze op niemand indruk zou hebben gemaakt, zodat niemand zich haar kon herinneren, ging er bij hem niet in.

'Als je Tosca hebt gezien, kun je je haar herinneren,' hield hij stug vol tegen Julia.

Die knipoogde naar Paul en zei: 'Ja, Mees, dat denk ik ook.'

Zaterdag trok hij er alleen op uit. Opnieuw stond hij tegen negenen voor de deur van de muziekwinkel te wachten. Gek, hij zag haar zó voor zich, hoe ze hier vier we-

ken geleden naast hem had gestaan. Ach, die film had hij
zo vaak afgedraaid.

Een jongeman deed de deur open. Dezelfde als toen?
Dát wist Mees zich niet meer te herinneren. Hij liep de
winkel in, die gevuld was met muziek.

'Hai, ik wil wat vragen,' begon hij.

'Zeg het maar.'

'Ik ben op zoek naar een meisje. Ik heb haar voor het
eerst hier ontmoet, in de winkel, toen we toevallig tegelijkertijd hier naar kaartjes voor Brainwave vroegen.'

'Ja, dat herinner ik me wel. Is het nog gelukt kaartjes
aan de kassa te krijgen?'

Mees werd helemaal warm vanbinnen dat deze jongen
zich hen herinnerde. Hij had Tosca dus ook gezien!

'Ja,' antwoordde hij. 'We hadden geluk. Dat was een
heel goeie tip van jou.' Een beetje slijmen kon geen kwaad,
vond Mees.

De jongen glunderde. 'Och, daar verkopen ze altijd de
niet-afgehaalde kaarten. Was het een mooi concert?'

'Jawel,' zei Mees, 'het was een mooi concert.' Maar Tosca was mooier, dacht hij erachteraan.

'Ik kwam dat meisje daar dus weer tegen,' vertelde hij
verder, 'en ik was nogal onder de indruk van haar, maar
ik heb stom genoeg geen adres en zo gevraagd. Nu zou
ik wel graag weer contact met haar willen opnemen. Is zij
nog hier langs geweest om naar mij te vragen of heeft zij
misschien een berichtje achtergelaten?' Mees haalde diep
adem. Hij voelde kriebels in zijn maag, alsof hij heel zenuwachtig was.

'Nou,' zei de jongen, 'ik was er toen niet zelf, maar er

176

is inderdaad een meisje geweest. Wanneer was dat? Nou, ik weet niet. Een collega vertelde het mij. Ze vroeg naar… Nee, hoe was het?' Hij trok een denkfrons.

Dat moest Tosca zijn geweest! Dat kon niet anders! 'Heeft ze een bericht achtergelaten?' vroeg Mees ademloos.

'Nee, ja, nou weet ik het,' riep de jongen uit. 'Nee, ze heeft geen bericht achtergelaten. Dát vroeg ze dus! Maar dat mocht niet van mijn collega. Ze had gezegd dat wij geen contactbureau waren,' grinnikte hij. 'Ik vond het juist wel grappig dat zij zoiets vroeg…'

Hij zweeg abrupt en nam Mees onderzoekend op. Ineens scheen hij het te snappen. 'Jij bent op zoek naar haar en zij naar jou?! Mán, wat een verhaal!'

Mees slikte. Geen bericht. Maar Tosca was hier geweest!

'Maar er is dus…' Mees moest eerst zijn keel schrapen, want er kwam geen geluid uit zijn keel. 'Maar er is dus niks van haar…'

De deurbel klonk door de muziek heen en er kwam iemand binnen. Mees keek voor de zekerheid om. Het was een oudere man, die richting klassieke muziek liep. Daarna kwamen een paar meisjes binnen. Niet één met krullen.

'Weet je,' zei de jongen achter de toonbank en hij boog zich naar Mees toe. 'Geef me je naam en telefoonnummer maar. Als ze nog een keer komt, geven wij haar dat.'

'Wij?' vroeg Mees. 'En als ze die collega weer treft?'

'Ik praat haar wel om. Dit is zo'n mooi verhaal! Daar werk ik graag aan mee.'

Mees wist niet wat er mooi aan was, maar voor een ander zou dat wel zo zijn. In ieder geval was hij er blij mee.

De jongen scheurde een bon uit het boekje en schoof het samen met een pen naar Mees, die zijn naam en mobiele nummer opschreef.

'Komen jullie het me vertellen als jullie elkaar gevonden hebben?' vroeg de jongen.

Mees lachte. Als dat uit zou komen... 'Tuurlijk!' beloofde hij dan ook. 'Bedankt hè?'

Klonk de deurbel ook zo vrolijk toen hij binnenstapte? Mees kon wel dansen van geluk. Tosca was naar hem op zoek! Dat was al heel wat! Ze wilde hem dus ook weer zien! Misschien liep ze vandaag hier wel weer rond, op zoek naar hem! Wauw!

Zijn stap was licht toen hij de winkelstraat in liep. Op het Waagplein bleef hij staan. In zijn hoofd maakte hij een plan: de winkelstraten door, langs de grachten, over de brug in de richting van haar huis, dan door de straten in de buurt van waar ze van de fiets was gestapt, terug naar De Swing en langs cafés en terrassen. Hij begon met goede moed te lopen. Tussen de middag ging hij even naar huis, een boterham eten. Toen hij de straat uit fietste om zijn zoektocht voort te zetten, kwam achter zijn rug juist een meisje de hoek om. Ze droeg gestreepte kousen en een kort rokje. Toen ze het tuinpad van het eerste huis op liep, dansten haar krullen. Mees zag het niet.

Zo optimistisch als Mees die ochtend was geweest, was hij aan het einde van de zaterdagmiddag niet meer toen hij doodmoe een pilsje bestelde. Hij zat aan de bar en dronk dorstig. Hij kon nog wel drie zaterdagen rondlopen. Hoe groot was de kans dat ze elkaar troffen? Hij moest hier maar extra weekenden naartoe. Hij zocht haar en zij zocht hem. Maar hoe kon hij haar laten weten dat hij gevonden wilde worden?

Hoe vind je iemand in Nederland? Moest hij andere dingen ondernemen dan alleen dat rondlopen en briefjes achterlaten? Moest hij alle havo's van Nederland aanschrijven? Flyers maken en op ieder station van Nederland één ophangen? Een advertentie plaatsen? Maar in welke krant of welk tijdschrift? In allemaal dan maar? Een vliegtuig de lucht in sturen en een doek met tekst erachter? Een spandoek op het Waagplein dan, bijvoorbeeld in de vorm van een vlag en die vastbinden aan het zwaard van de ruiter? Een detective inhuren? Dag en nacht posten bij De Swing? En dan Julia en Paul en misschien nog meer vrienden inhuren om hem af te lossen? Want dat kon hij niet in zijn eentje.

Hij bestelde nog een pilsje, dat hij in één keer opdronk. Toen legde hij zijn onderarmen op elkaar op de bar, boog zijn hoofd en legde zijn voorhoofd op zijn armen.

HET VERHAAL VAN TOSCA

27

Tosca zat op de rand van haar bed. Bekaf was ze. Ze staarde naar haar mobiel op het nachtkastje terwijl ze met haar handen haar pijnlijke voeten wreef. Ze had wel tien keer gekeken of de batterijen niet leeg waren. Ze nam haar mobieltje zelfs mee naar de wc om niks te hoeven missen. Maar er kwamen geen telefoontjes.

Alleen het nachtlampje boven haar bed brandde, de rest van het huis was al lang in duisternis gehuld. Het was zaterdagavond laat. Ze was zó moe en toch kon ze de slaap niet vatten.

Ze dronk een slokje water uit het glas op haar nachtkastje. Ze pakte haar mobiel op en gleed er met strelende vingertoppen overheen. Mees, dacht ze, bel alsjeblieft.

Vanavond had ze om het uur haar mailbox geopend, wat meelevende blikken van Anna en verwonderde van haar vader opriep.

'Verwacht je een belangrijk mailtje?' had hij belangstellend gevraagd.

Tosca had zo'n beetje gegrijnsd. Pas als ze succes had, wilde ze iets kwijt. Nu nog niet.

Haar vader had haar onderzoekend aangekeken en was uitgebarsten in een gedicht: 'Bij het denken aan de liefde, heb ik de liefde lief. En 't is de liefde tot u, geliefde, die mij tot die liefde hief.'

'Pap!' riep Anna getergd uit. 'Dat is zó ouderwets!'

Ook Tosca kreunde. Dat deed haar vader wel vaker, in het wilde weg een gedicht opzeggen.

'Dat kan wel zijn,' zei hij, 'en Herman Gorter is ook al lang dood, maar de liefde leeft! En die kan je voeren tot hoge toppen, maar ook naar diepe dalen.'

Anna tikte op haar voorhoofd en Tosca vluchtte naar haar kamer. Ze hoorde hem nog net zeggen: 'Wil je iets moderners? Dat kan ook, hoor!'

Ja, ze was moe. Van een halve dag lopen en een hele dag wachten. Iedereen in de muziekbuurt had nu een briefje van haar in de brievenbus gehad. Tosca had grote bewondering gekregen voor mensen met een folder- of krantenwijk.

Maar er had nog niemand gebeld.

Was Mees niet bij zijn vader? Waren ze met zijn allen een weekend weg? Had niemand in de gaten dat het om hun Mees ging? Durfde hij niet? Wílde hij niet?

Voor dat laatste was ze zó bang. Dan was alle moeite voor niets.

Ze was niet meer naar De Swing en naar de muziek-winkel gegaan. Had ze dat toch nog moeten doen? Ach, had het eigenlijk zin, allemaal?

Tosca dook weg onder haar dekbed, maar het duurde nog een hele tijd voor ze werd verlost door een onrusti-ge slaap.

De zondag begon met een laat ontbijt op bed. Daarna nam haar vader Tosca en Anna mee voor een flinke bos-wandeling en een bezoek aan de bioscoop. Afleiding was wel op zijn plaats, vond hij. Tosca's mobiel ging op de trilfunctie. Steeds legde Tosca haar hand erop. Het verhaal van de film ging een beetje aan haar voorbij. Liever stelde ze zich voor hoe Mees haar briefje zou vinden...

Maandag op school moest ze hem uitzetten. Elke pauze keek ze of ze oproepen had gemist.

'Hij belt echt niet onder schooltijd, hoor,' zei Mijke. 'Hij zit toch zelf ook op school!'

'Ik snap er niks van,' klaagde Tosca. 'Waarom belt hij nou niet?'

Mijke haalde haar schouders op. 'Ik weet het niet. Hij heeft geen briefje gelezen, een huisgenoot heeft het briefje weggegooid, hij is verhuisd, hij wil niet bellen.'

'Maar voor je iets weggooit, kijk je toch wat het is?' riep Tosca uit. Alle andere mogelijkheden wenste ze niet te horen.

Al twee dagen had hij niet gebeld. Nu was hij niet meer bij zijn vader. Dat maakte de kans natuurlijk kleiner dat hij zou reageren. Nee, dat mocht niet! Hij moest bellen!

Maar ook op dinsdag belde hij niet. De uren krópen voorbij. Tosca zat als een zombie in de klas. Ze luisterde wel, maar hoorde niks. Ze maakte aantekeningen, maar 's middags thuis snapte ze er geen snars meer van. Ze praatte met haar vriendinnen, maar gaf verstrooide antwoorden. Zodra ze thuis was, opende ze haar e-mail. En elk uur daarna ook. Elk uur dat Mees niet belde, maakte haar somberder.

Haar mobiel deed het toch nog wel? Tosca belde Mijke met de vraag haar terug te bellen om dat te controleren. Ja, hij deed het gewoon. Wat was er misgegaan?

Haar mobiel zweeg en zweeg en zweeg.

28

Tot woensdagavond. Tosca sprong op vanachter haar bureau toen het bekende melodietje weerklonk. Het kón Mijke zijn, of een van de anderen, al had ze hun verboden te bellen. Stel dat Mees belde, terwijl zij net met haar vriendinnen zat te kleppen? Ze had haar mobiel zoals steeds binnen handbereik en zag een onbekend nummer op het scherm. Ze nam een grote hap lucht.

'Met Tosca.'

'Hai Tosca, met Mees.'

'Mees!' Zijn naam knalde als een jubel door haar kamer. Ze schrok er zelf van.

'...'

'...'

Stom, ze wist even helemaal niet wat ze nu moest zeggen. Haar adem ging hoog en snel. Hij was het! Hij belde! Eindelijk, eindelijk!

'Eh... Ik heb je briefje gelezen,' hoorde ze Mees' stem. 'Nee, ik bedoel, Julia heeft je briefje gevonden en nu dacht ik: ik bel gelijk.'

'Eh... ja, wacht even, ik doe even de muziek wat zachter. Wat ben ik blij! Dat je belt, bedoel ik! Tjeetje, ik sta helemaal te trillen...'

'...'

'...'

Dat schoot niet op zo, maar Tosca kon niet helder meer denken. In gedachten had ze zó vaak een telefoongesprek met Mees gevoerd, maar nu ze hem echt had... Ze was het even helemaal kwijt.

'Ik heb je zo veel te zeggen, ik weet niet...' Ze slikte. Ze had het gevoel dat hij het kloppen van haar hart dwars door de ether moest kunnen horen. 'O, help, mijn hart gaat als een razende tekeer.'

Mees lachte. 'Dat van mij eigenlijk ook. Wel een beetje ongezond dat we elkaar nu gevonden hebben!'

'Ik geloof het bijna niet.' Ineens werd Tosca bang. 'Je bent het toch wel echt?'

'Tuurlijk! Waarom zou ik het niet echt zijn?'

'Eh... nou, kijk...' Maar wat kon ze vertellen? Alles en alles en alles natuurlijk! Maar ze kon niet daarmee beginnen. 'Ja, nou, natuurlijk ben je het echt. Ik heb je gezocht. Ik dacht dat ik je nooit meer zou zien... En nu...'

Ze moest even heel diep zuchten.

'Ik heb jóú ook gezocht,' zei Mees. 'Maar niet gevonden. Jij hebt mij gevonden.'

'Echt?' Die was goed voor een nieuwe diepe zucht. 'Sorry,' zei ze erachteraan. 'Ik ben wat in de war. Ik dacht dat ik je nooit meer zou zien.' Ze giechelde en sloeg gauw haar hand voor haar mond, het klonk zo gek, zo'n zenuwachtige giechel was het. 'Maar dat zei ik net dus ook al.'

Wat sloeg ze een wartaal uit! Wat zou Mees nu van haar denken? En dat terwijl het toen ze elkaar zagen zo vanzelf ging.

'...'

Had ze het nu verknald? Waarom zei Mees niks? Snel

begon ze zelf weer te praten: 'Dus je hebt mijn briefje gevonden?'

'Ja. Nou, nee, eigenlijk heeft Julia hem gevonden. In de oud-papierdoos.'

'In de oud-papierdoos?'

'Ja, Julia was iets kwijt van school, een A4'tje met opdrachten voor Nederlands. Ze had eerst haar tas drie keer gecontroleerd en toen haar kamer binnenstebuiten gekeerd en toen kreeg ze het lumineuze idee in de oud-papierdoos te kijken. Misschien dat ze het met haar stomme kop samen met oude proefwerken had weggegooid, zei ze. En toen vond ze jouw briefje. Net dus, een kwartier geleden. Ze belde mij op.'

'Maar ik snap niet...?'

'Hoe het erin is gekomen? Waarschijnlijk is het mijn pa geweest. Die dacht dat het reclame was. Dat gooit hij altijd ongelezen weg. We hebben zo'n sticker op onze brievenbus, je weet wel, en hij ergert zich mateloos aan alles wat er toch nog doorheen wordt gegooid.' Mees lachte.

Tosca's onbeheerste hartslag wilde maar niet dimmen. Een rilling gleed omhoog langs haar schouderbladen en kriebelde in haar nek. Dus het had heel gemakkelijk anders kunnen lopen...

'Gelukkig was Julia haar opdracht kwijt... En heeft ze hem nog gevonden?' Niet dat het haar echt interesseerde, maar ze wist zo gauw niks anders te zeggen.

'Ja, die zat ook tussen de oude kranten. Maar heb jij óveral briefjes in de bus gegooid?' vroeg Mees.

'Niet overal. Alleen bij jullie in de buurt. Ik wist dat je in de muziekbuurt woonde.'

'Ik dacht al. Maar dan nog. Wat een werk!'

'Och, ik wilde je graag vinden.'

'Eh… ik jou ook… Ik heb…'

Tosca was met gekruiste benen op haar bed gaan zitten en luisterde naar Mees' verhaal over zijn zoektocht.

'Ik ben heel gelukkig dat ik je heb gevonden,' besloot hij. 'Of nee, jij mij dus. En jij?'

Tosca lachte. 'Ik ook.'

'Nee, ik bedoel,' zei Mees, 'vertel jij nu eens over je briefjes? Dat je ging zoeken?'

Nadat Tosca was uit verteld, bleef het even stil. Daarom zei ze: 'Je krijgt nog geld van me.'

'O, eh…' Mees klonk beduusd. 'Dat is niet belangrijk.'

'Nou ja, dat wilde ik ook helemaal niet zeggen,' verontschuldigde Tosca zich. 'Ik ben gewoon zó ondersteboven van…' Jou…, wilde ze zeggen, maar ze slikte het in. Liep ze nu niet te hard van stapel? Ze moest zich niet te snel blootgeven. Dat hij belde betekende nog niet…

'…van het feit dat ik met jou praat en zo,' maakte ze er gauw van.

'Gaat het goed met je?' vroeg Mees.

'Ja, nu weer wel.'

'…'

Waarom zweeg Mees? Wat wilde hij weten?

'Sorry, dat ik over je heen heb gespuugd…' begon Tosca. 'Maar nog bedankt voor je hulp en voor het thuisbrengen.'

'Ik heb je niet thuisgebracht.'

Nu was Tosca verbaasd. 'Heb jij mij niet thuisgebracht?'

'Nee, dat wilde je niet.'

186

Weer nieuwe informatie om aan te wennen. 'Wilde ik dat niet?'

'Weet je dat niet meer? Je wilde het laatste stukje zelf lopen.'

'Nee,' zei Tosca, terwijl ze haar geheugen aan het werk zette. 'Dat weet ik niet meer. Sorry, ik had 'm behoorlijk om. Ik schaam me echt heel diep, Mees.'

'Ach, maakt niet uit,' zei Mees. 'Ik ben ook wel eens dronken geweest.'

'Maar ik dacht echt dat jij mij thuis had gebracht. Ik dacht dat jij me dus niet meer wilde zien, omdat je niks meer van je liet horen.'

'En ik dacht dat jij mij niet meer zou willen zien. Dat riep je die avond naar me.'

Ze lachten tegelijkertijd. Van opluchting, dacht Tosca, dat geldt voor allebei. Het was helemaal anders dan ze al die tijd had gedacht!

'Wat hebben we veel gedacht...' zei Tosca. 'En Julia?' vroeg ze erachteraan. Nu moest ze ook alles weten, maar eigenlijk wist ze het al.

'Wat, en Julia?'

'Is zij jouw vriendin?'

'Julia?' Mees begon te lachen. 'Hoe kom je daarbij? Julia is mijn stiefzusje. Mijn vader is getrouwd met haar moeder. Ze heeft me geholpen jou te vinden.'

Dus toch! Ze had zich druk gemaakt om niks.

'...'

'Tosca? Ben je er nog?'

Opnieuw moest haar lachje wat vreemd klinken. 'Ja, ik dacht... ik dacht dat zij je vriendin was...'

Nu duurde het even voor Mees antwoord gaf. 'Dacht je dat echt? Waarom?'

'Ik weet niet. Ik ging er gewoon van uit dat zij je vriendin was. Jij kocht kaartjes voor jullie tweeën en de vanzelfsprekendheid waarmee jullie samen waren en nou ja, jullie hoorden gewoon bij elkaar, zo leek het. Alleen…'

'Wat?'

'Nou ja, later vroeg ik me af, Julia gaf jou een zoen op je wang toen ze kwam, dus later vroeg ik me af of het wel klopte.'

Het bleef even stil, beiden waren druk bezig met hun vragen en de antwoorden die ze kregen.

'Mees,' zei Tosca toen. 'Ik moet je nog meer vertellen over die avond.'

'Dat hoeft niet, als je niet wilt,' zei Mees.

'Jawel, dat wil ik wel, maar niet door de telefoon.'

'Een andere keer.'

'Ja.'

'Zullen we wat afspreken?'

'Waar woon jij eigenlijk, ik bedoel, als je niet bij je vader bent?'

Mees noemde de plaats waar hij met zijn moeder woonde. 'En jij?'

Tosca lachte. 'Je hebt vast nog nooit gehoord van het dorp waar ik woon.' En ze moest vervolgens uitleggen waar dat lag.

'Zo ver weg?'

'Als we naar onze vaders gaan, wonen we dicht bij elkaar,' troostte Tosca.

'Spreken we dan iets af of al eerder?' vroeg Mees.

Tosca moest eerst bedenken welke dag het was en hoe lang het zou duren voor ze weer naar haar vader ging. Nog anderhalve week. Dat was lang, maar daar afspreken was wel gemakkelijker.

'Ik wil graag afspreken als we in X zijn. En jij?'

Ze hoorde Mees slikken.

'Of vind je dat te lang duren?' vroeg ze gauw.

'Het is goed,' zei Mees, 'als jij dat zo wilt.'

Tosca wist het zeker. 'Maar we kunnen toch bellen, of sms-en, of chatten? Geef me alsjeblieft je adres en alles, dat we elkaar niet weer kwijtraken!'

29

Ze hadden vrijdagavond om negen uur voor de muziekwinkel afgesproken. Daar hadden ze elkaar voor het eerst
gezien, en dáár zouden ze elkaar nu weer ontmoeten.

Dat liefde zo spannend kon zijn, dacht Tosca terwijl ze
zich voor de spiegel stond op te maken. Ze was zo zenuwachtig, dat ze bijna wenste dat het niet door zou gaan.

Maar dat was onzin. Ze zou hem eindelijk weer zien.
Ze kon beter wensen dat de avond al voorbij was. Dan
wist ze hoe het was gegaan. Ze was zó bang dat het tegen
zou vallen. Was Mees wel zo leuk als ze zich herinnerde?
Had ze hem niet te veel geïdealiseerd? Of misschien viel
zij hem wel tegen, zodat Mees na een kwartier zou uit-
roepen: Nee, sorry, Tosca, toch maar niet, ik ga maar weer
eens verder. En ze moest over Rick vertellen, vond ze.
Zou Mees haar daarna nog wel zien zitten? Zou hij haar
niet ook een slet vinden?

Maar ze verlangde er vreselijk naar Mees weer te zien. Al
hun telefoontjes gingen toch lekker? En ze hadden gezellig
gechat en hij had leuke sms-jes gestuurd. Nee, ze moest toch
maar niet wensen dat het al voorbij was. Nu had ze alles
nog voor zich… Vanaf nu zou alles weer goed komen…

Nu moest ze beslissen of ze wel of geen lippenstift op zou
doen. Ze maakte haar lippen zorgvuldig rood, wreef ze tegen elkaar en trok grimassen in de spiegel, net toen Anna
de badkamer binnenkwam.

'Kun je niet kloppen!' gilde Tosca op ruzietoon.

'Ik kwam alleen even kijken...' zei Anna een beetje onder de indruk. 'Je ziet er mooi uit.'

Samen keken ze naar Tosca's spiegelbeeld. Ze droeg een kort rood rokje met om haar heupen een blauwe riem, en een gebloemd T-shirt met blote schouders. Om haar hals had ze een ketting met blauwe en gele kralen. Tosca wriemelde aan de doorzichtige bh-bandjes. Wat een keuzes moest je maken voor je uit kon gaan met een jongen. Ze had haar bh al uitgedaan en toen toch maar weer aangetrokken.

'Wel of geen lippenstift?' vroeg Tosca.

'Gaan jullie zoenen?' vroeg Anna.

'Hoe weet ik dat nou?'

'Ik denk het wel. Jullie zijn toch allebei verliefd? Dan kun je beter geen lippenstift opdoen.'

'Ik laat het zo,' besloot Tosca. Mees moest niet denken... Ze kon haar lippen altijd later nog schoonvegen. Ze zou papieren zakdoekjes in haar tasje stoppen.

In de gang kwam ze haar vader tegen, die nu helemaal op de hoogte was. Hij zei: 'Altijd op zoek naar een navelstreng nu de eerste niet langer bestaat, balanceer ik op de ragdunne draad van blik tot blik, tot het ogenblik dat ik opnieuw jij en jij ik.' En hij gaf haar zacht twee zoenen op haar wangen. 'Dus je laat je thuisbrengen? Op de afgesproken tijd? Veel plezier, meisje.'

Tosca was veel te vroeg, maar zodra ze de hoek omkwam, zag ze hem al voor de etalage staan. De knoop in haar maag werd strak aangetrokken en de lucht leek ineens ijl te worden. Tosca hield haar passen in en ademde een paar keer diep in en uit. Ze schudde haar handen los om een beetje van de spanning kwijt te raken. Oké, here we go, dacht ze. Hoe moest dat ook alweer, lopen? Haar benen wiebelden maar wat.

Daar stond hij! Daar was hij echt! Tosca keek naar hem, terwijl ze wankele passen nam. Hij had zijn pet weer op. Hij droeg ook rood, zag ze. Rode broek, rood overhemd met korte mouw dat openhing, een wit T-shirt eronder, geen jas. Te warm, het was immers zo'n prachtige, warme zomeravond.

Ze was nog maar een paar meter bij hem vandaan. Tosca beet op haar onderlip. Hij stond met zijn handen op zijn rug naar de etalage gebogen en het was kennelijk heel interessant wat er lag. Nog vier meter, nog drie...

Mees keek op. Zijn gezicht produceerde de zonnigste lach die Tosca ooit had gezien. Het benam haar opnieuw de adem.

Zij keek naar hem en hij naar haar. Zo lang had ze gezocht, zo heftig had ze naar hem verlangd, en nu durfde ze niet meer... Ze bleef stokstijf staan op zo'n anderhalve meter bij hem vandaan.

Mees hoefde maar drie passen te doen. Vlak voor haar stond hij stil en een moment stonden ze onbeweeglijk tegenover elkaar.

'Ha, die Tosca.'

'Hai, Mees.'

Ja, het was er nog. De vonk, het weten: ik vind jou leuk.

Tegelijk legden ze de laatste centimeters naar elkaar af. Wie was het eerst? Nadat ze hun armen om elkaar heen hadden geslagen, legde Tosca voorzichtig haar hoofd tegen zijn borst en ze voelde de warmte tegen haar wang stralen.

DEEL 3

30

Tosca lag naast Mees op de verende, zachte bosgrond van de open plek, half op en half naast zijn zwarte shirt, dat ze als een bed onder zich hadden uitgespreid. Hun deken was het zonlicht. Met ontblote bovenlichamen lagen ze tegen elkaar aan, armen en benen zoveel mogelijk ineen gestrengeld. Huid op huid is heerlijk, dacht Tosca en ze duwde haar borsten dichter tegen hem aan.

Mees fluisterde lieve woordjes in haar oor. Tosca gleed met haar vlakke hand over zoveel mogelijk vel. Gelukkig was Mees groot en had ze veel te strelen: zijn gezicht, hals, schouders, armen en borst, afwisselend zacht en stevig, glad en behaard, verend en hard. Allemaal Mees. Mooie Mees. Wat was ze gek op die jongen, wat had ze leren houden van zijn prachtige lijf!

Ze hadden de tijd, dat hadden ze besloten in dat eerste weekend samen. Ze hadden toen vooral heel veel gepraat, zonder elkaar los te laten trouwens. En tegelijkertijd hadden ze heel weinig tijd: elke keer dat ze elkaar zagen precies één weekend. Het werden heerlijke weekenden...

Tosca boog over Mees heen en drukte een kus in het kuiltje tussen zijn hals en zijn sleutelbeen. Mees haalde zijn vrije hand door haar krullen en lachte naar haar. Tosca voelde zo veel warmte in en om zich heen. Ze zuchtte van zo'n groot geluksgevoel.

Daarna draaiden ze zich om, Tosca op haar rug en Mees half over haar heen gebogen. Nu was het zijn beurt zoveel mogelijk huid te strelen. Hij nam er de tijd voor, kuste haar tepels die hard werden onder zijn aanraking en streelde zachtjes haar buik. Tot de rand van haar korte broek.

'Ik kan niet verder,' zei hij.

'Wil je dat?' vroeg Tosca met een lach.

'Ja. En jij?

Tosca kwam overeind en knoopte Mees' broek los en hij trok die van haar uit.

'Hoe ver is verder?' vroeg Mees toen ze helemaal naakt naast elkaar lagen. Het voelde al bijna vertrouwd, dacht Tosca. Hun handen waren er immers al eerder geweest en hun ogen ook. Ook nu namen ze de tijd elkaar daar te liefkozen.

Mees had het gewoon geaccepteerd dat ze niet alles in één keer wilde. Kleine stapjes verder wilde ze. En ach, ze had al een paar keer gedacht dat het zó ook al heel lekker was, gewoon samen, dicht bij elkaar, genieten van al dat bloot en elkaar strelen tot een hoogtepunt. Ze had geen haast meer.

Maar nú zou ik verder willen, dacht Tosca, tot en met de laatste stap wil ik.

Ineens schoot haar iets te binnen. Ze grinnikte.

'Wat is er?' vroeg Mees.

Tosca vertelde over de checklist die ze met haar vriendinnen had opgesteld.

'Ah! En als je hem nu moet invullen,' vroeg Mees, 'hoe ver kom je dan?'

Tosca rolde op haar buik en leunde op haar ellebogen. Met de vingers van haar rechterhand telde ze af. 'Eén: heb je een leuke vriend?' Ze keek Mees verliefd aan en lachte. 'Ja, dus, een héél leuke vriend. Twee: wil hij ook?'

Ze wachtte af.

Mees zweeg plagerig. 'Moet ik daar antwoord op geven of jijzelf?'

'Zeg jij het maar,' zei Tosca.

Mees keek even naar zijn onderlijf. 'Ja, ik wil het ook.'

'Drie,' ging Tosca verder. 'Heb je condooms?'

'En?' vroeg Mees. 'Heb je die?'

Tosca schudde benauwd met haar hoofd. 'Nee,' zei ze schor. 'Ik durfde niet.'

'Dan gaat het feest niet door,' zei Mees en hij keek een moment erg teleurgesteld. Toen krabbelde hij overeind. 'Geintje!'

Hij pakte zijn broek op, die Tosca net op een hoopje op de bosgrond had gegooid, en zocht. De eerste broekzak was mis, de tweede keer had hij een klein vierkant pakje in zijn hand.

'Ta-dáá!' deed hij. Hij hield zijn hoofd schuin en keek haar zo lief aan.

Tosca kwam overeind en stortte zich op hem, in een poging het af te pakken. Maar Mees' armen waren zo veel langer en hij was ook sterker; het was een worsteling die Tosca lachend verloor.

'Ga verder!' hijgde Mees met het condoom hoog boven zijn hoofd. 'Er waren zes punten, zei je?'

'Vier, vijf en zes: ja!' zei Tosca. 'Ik ben eraan toe!' En ze trok hem omver en kroop boven op hem.

'Moet je wel van me afgaan,' zei Mees. 'Zo kan ik er niet bij.'

Mees had geoefend, dacht Tosca, toen ze geïnteresseerd toekeek hoe hij het condoom omdeed. Ze voelde zich ineens heel ernstig.

'Ga eens op je rug liggen,' zei Mees. 'Volgens mij is dat het gemakkelijkst voor de eerste keer.'

Voorzichtig boog hij over haar heen. Hij zoende haar en gaf een kusje op haar neus. 'En nu een beetje bijsturen met je hand.'

Mijn tweede eerste keer, zei Tosca in gedachten.

CAJA CAZEMIER

Caja Cazemier werd op 5 september 1958 in Spijkenisse geboren. Na de middelbare school ging ze Nederlandse Taal- en Letterkunde studeren. Twaalf jaar lang was ze lerares Nederlands, maar tegenwoordig besteedt ze haar tijd volledig aan het schrijven van boeken. Ze woont in Leeuwarden.

Dankzij haar ervaring in het middelbaar onderwijs staat ze heel dicht bij jongeren, ze begrijpt wat hen beweegt en hoe verwarrend hun wereld kan zijn. Ze schrijft dan ook over situaties en problemen waar jongeren mee te maken hebben: over vriendschap, verliefdheid en homoseksualiteit, maar ook over serieuzere onderwerpen, zoals seksueel misbruik en de dood. Caja Cazemiers levensechte en herkenbare personages laten de lezer meeleven én meevoelen. Haar vlotte en toegankelijke schrijfstijl zorgt ervoor dat haar boeken voor een grote groep lezers interessant zijn.

LEES MEER VAN CAJA CAZEMIER!

Verliefd zijn is een ramp!

Myra valt op jongens, dat is altijd zo geweest. Toch…? Maar waarom voelt ze zich dan zo tot Jessica aangetrokken? Ze kan toch niet ineens lesbisch zijn?! Voor Jessica is het eenvoudig, die heeft altijd geweten dat ze op meisjes valt. Ze heeft ook al een echte vriendin gehad.

Het kost Jessica de grootst mogelijke moeite en heel veel geduld om Myra ervan te overtuigen dat haar gevoelens niet 'raar' zijn, en dat ze zich best mag overgeven aan haar verliefdheid. Maar het is de moeite waard!

ISBN 90 216 1946 6